Waarom doet mijn kind zo moeilijk?

Peter Prinzie

WAAROM DOET MIJN KIND ZO MOEILIJK?

Moeilijk gedrag begrijpen
Efficiënt straffen en belonen

WWW.LANNOO.COM

OMSLAGONTWERP Citroen*Citroen*
VORMGEVING BINNENWERK Studio Lannoo
OMSLAGILLUSTRATIE Corbis

D/2004/45/379 – ISBN 90 209 5530 6 – NUR 847

GEDRUKT EN GEBONDEN BIJ Drukkerij Lannoo

INHOUD

WOORD VOORAF

Kinderen doen weleens moeilijk. De meeste ouders en opvoeders weten dat uit ervaring. Ze maken mee dat kinderen tegenspreken, niet naar bed willen of proberen te ontkomen aan wat hen gevraagd wordt.

Dit boek is gegroeid uit de wens om inzichten uit wetenschappelijk onderzoek rond deze thematiek met een ruim publiek te delen. In het kader van mijn proefschrift hebben van 1999 tot 2001 ouders en leerkrachten van 680 kinderen jaarlijks vragenlijsten ingevuld. Tot die steekproef behoorden evenveel jongens als meisjes uit alle sociale milieus en uit alle onderwijsnetten.

Dit boek wil inzicht bieden in de verschillende vormen van moeilijk gedrag (hoofdstuk 1), de evolutie ervan (hoofdstuk 2) en de wisselwerking tussen verschillende factoren die kunnen leiden tot dat gedrag. Opeenvolgend gaat het over de opvoeding (hoofdstuk 3), de persoonlijkheid van het kind (hoofdstuk 4) en hoe beide op elkaar inwerken (hoofdstuk 5). Ter afsluiting formuleren we enkele nuttige opvoedingstips (hoofdstuk 6) die op de inzichten uit de vorige hoofdstukken gebaseerd zijn.

Het unieke van dit boek is dus dat de inhoud gefundeerd is op wetenschappelijk onderzoek en tegelijk heel vlot toegankelijk is voor al wie met opvoeding te maken heeft.

Bij het verschijnen van dit boek ben ik velen dank verschuldigd. Het is onmogelijk hen allen bij name te noemen. Voor enkelen wil ik toch een uitzondering maken. Ik noem vooreerst mijn beide promotoren, Prof. Dr. W. Hellinckx en Prof. Dr. P. Onghena van de Katholieke Universiteit Leuven, die het onderzoek van mijn proefschrift in goede banen hielpen leiden. Ik dank Prof. Dr. I. Mervielde en Prof. Dr.

F. De Fruyt van de Universiteit Gent voor de vlotte en constructieve samenwerking. Ik dank ook mijn huidige supervisor, Prof. Dr. M.H. van IJzendoorn van de Universiteit Leiden. Ik zie het als een eer te mogen deel uitmaken van de onderzoeksgroep die geleid wordt door de eerste Nederlandse pedagoog die de Spinozaprijs kreeg toegekend. Een bijzonder woord van dank is voor Prof. Dr. J.P. Fryns, die op een daadwerkelijke wijze de interesse voor het wetenschappelijk onderzoek in mij aanwakkerde. Ik dank mijn vader en Toon, die in de voorgelegde teksten stelselmatig nuttige correcties hebben aangebracht.

Tot slot dank ik ook de uitgeverij Lannoo, die me de kans bood dit boek te laten verschijnen en mevrouw Annemie Willemse, die zorgde voor de vlotte leesbaarheid.

Dit boek zou er niet gekomen zijn zonder de 680 moeders en vaders die drie opeenvolgende jaren belangeloos tal van vragenlijsten invulden. Ook mocht ik telkens opnieuw rekenen op de medewerking van de directies en de leerkrachten van de scholen waar deze kinderen waren ingeschreven. Uit dankbaarheid wil ik dan ook graag dit boek aan hen opdragen.

Peter Prinzie
14 september 2004

I •• MOEILIJK GEDRAG: WAT IS DAT NU EIGENLIJK?

Stephanie is nog geen vijf jaar oud, maar weet met de regelmaat van de klok de gezinssfeer te verpesten. Stephanies moeder klaagt dat het elke dag rond het avondeten gegarandeerd mis is. Het gedrein begint al als het gezin aan tafel gaat: nog voor ze weet wat ze gaan eten, begint Stephanie al te zeuren: 'Dat lust ik niet!' Het gezeur mondt soms zelfs uit in geruzie en geschreeuw, want Stephanie duwt haar bord vaak gewoon weg, en weigert ook maar één hap te eten als ze niet iets anders krijgt. De ouders van Stephanie zien steeds meer op tegen het moment van de dag dat eigenlijk het gezelligste zou moeten zijn...

Ook de ouders van Frederik (8) zijn bijna ten einde raad: ze krijgen hun zoon zelden of nooit zonder problemen in bed. De ene keer is er net dat lievelingsprogramma op televisie dat hij per se wil uitkijken, de andere keer 'is hij helemaal nog niet moe'. Hij smeekt en zeurt om nog wat langer op te mogen blijven, en als hij eindelijk wél in bed ligt, keert de rust nog steeds niet weer. Meestal komt hij nog een keer of vijf, zes naar beneden omdat hij dorst heeft, moet plassen, niet kan slapen of nog een kusje of een verhaaltje wil.

De moeder van Marieke (3,5) beweert dan weer dat ze onmogelijk samen met haar dochter boodschappen kan doen. Marieke haalt snoep en speelgoed uit de schappen en laadt het boodschappenwagentje van haar moeder op eigen initiatief vol. Als mama de spullen weer teruglegt, wordt Marieke kwaad. Soms krijst Marieke zo hard dat iedereen naar hen kijkt. Van pure schaamte geeft de moeder van Marieke dan maar toe door haar wat snoep uit te laten kiezen. Dan houdt Marieke tenminste op met huilen.

De juf van Sven (6) maakt zich ook zorgen. Sven zit in groep 3 (of het eerste leerjaar) en heeft behoorlijk veel moeite met lezen. Maar hij raakt ook opvallend vaak verzeild in ruzies, en wordt steeds meer 'de schrik van het speelplein'. Discussies tussen Sven en de andere kinderen gaan gepaard met veel gevloek en allerlei schuttingtaal, en lopen meer dan eens uit in vechtpartijtjes, waarbij Sven er niet voor terugdeinst om te bijten of te schoppen.

Gewoon een beetje moeilijk...?

Elk kind doet weleens moeilijk. Wie zelf jonge kinderen heeft, of te maken heeft met de opvoeding van jonge kinderen, zal altijd wel iets herkennen van de situaties van Stephanie, Frederik, Marieke, Sven, hun ouders en hun leerkrachten. Maar het spreekt vanzelf dat je al het moeilijk gedrag niet over één kam kunt scheren. Een kind dat eens een keertje moeilijk doet, is hooguit vervelend voor de ouders. Hoe vaker een kind zich misdraagt en hoe erger het gedrag is, hoe vervelender dat voor zijn opvoeders, zijn omgeving en zichzelf is. Of moeilijk gedrag van jonge kinderen een echt problematische aard heeft, is niet op stel en sprong te zeggen, en wordt bepaald door een combinatie van verschillende aspecten. Een kind met problematisch moeilijk gedrag vervalt herhaaldelijk in zijn storende gedrag, en dat in heel verschillende situaties: thuis, op school én bij de voetbalclub bijvoorbeeld. Hoe moeilijk het gedrag precies is, hoe vaak het voorkomt, hoe lang de conflicten duren, hoeveel last de omgeving ervan heeft, zijn allemaal aspecten die mee bepalen of er eventueel moet worden ingegrepen...

Caroline (5) slaapt 's nachts alleen maar als ze in het bed van haar ouders mag liggen. Heel af en toe valt ze in haar eigen bed in slaap, maar ze komt dan in de loop van de nacht steevast tussen mama en papa in liggen. Carolines ouders dachten een poos dat het maar tijdelijk zou zijn, maar beginnen de situatie steeds vervelender te vinden, al was het alleen al maar omdat hun eigen nachtrust eronder begint te lijden.

Martijn (4) weigert thuis bijna altijd zijn speelgoed op te ruimen. Zijn juf vertelt aan Martijns ouders dat ze hem in de klas wel heel erg vaak tot de orde moet roepen als ze met de hele klas in de vertelhoek gaan zitten voor het verhaal van de dag. Martijn blijft op zulke momenten maar rondlopen en vaak duwt hij de andere kleuters ook nog. Een tante van Martijn merkt op dat hij bij spelletjes met neefjes en nichtjes absoluut niet tegen zijn verlies kan. Hij begint het spel dan met opzet te verstoren en laat zich herhaaldelijk op de grond vallen.

Het is duidelijk dat Caroline en Martijn niet zo maar af en toe wat vervelend zijn, maar bijna voortdurend. Wanneer moeilijk gedrag bij jonge kinderen vaak, dagelijks bijvoorbeeld, voorkomt, hebben de ouders in elk geval genoeg reden om het gedrag van hun kind extra in de gaten te houden. Martijn is ook behoorlijk consequent in zijn gedrag. De juf vertelt dat hij onder het vertellen maar blijft rondlopen, ook al wordt hij tot de orde geroepen, en tijdens het spelen met neefjes en nichtjes blijft hij vervelend doen. Weer een signaal dat het bij Martijn wel degelijk om problematisch moeilijk gedrag zou kunnen gaan. Bovendien geeft de juf duidelijk aan dat het geen pretje is met Martijn in de klas. Wellicht lijdt niet alleen de juf, maar zeker ook de andere kleuters én Martijn onder deze situatie. De moeder van Martijn is het grondig zat om altijd zelf het speelgoed van haar zoon te moeten opruimen, en de neefjes en nichtjes van Martijn zien hem liever gaan dan komen... Eigenlijk is er in het geval van Martijn sprake van een combinatie van symptomen die duidelijk maakt dat er wel degelijk iets aan de hand is.

Eén vervelende gebeurtenis maakt dus nog geen moeilijk kind. Een kind dat een paar keer niet wil eten evenmin. En natuurlijk mag je in de supermarkt je kind weleens trakteren op een extra snoepje! Maar als je kind herhaaldelijk, op verschillende plaatsen en in verschillende situaties vervalt in moeilijk gedrag, is er wellicht toch iets mis.

... of reden tot paniek?

Terreur, misdaad en agressie zijn tegenwoordig aan de orde van de dag. Angstvallig houden we allerlei media in de gaten en laten we ons overspoelen door de meest onheilspellende berichten van over de hele wereld. Maar ook vlak bij huis worden we steeds vaker geconfronteerd met schokkende agressie, bijvoorbeeld in het verkeer, en asociaal gedrag in het algemeen. Eigenlijk is het paradoxaal: we worden meer en meer geciviliseerd, maar tegelijkertijd raken we ook steeds meer in de ban van geweld. Het is dan ook niet verwonderlijk dat er vandaag de dag, aan het begin van het derde millennium, meer dan ooit onderzoek wordt gedaan naar de oorzaken en de preventie van asociaal gedrag. In veel theorieën over menselijk gedrag staat agressie centraal. Vanuit zeer uiteenlopende disciplines of invalshoeken (economie, zoölogie, volksgezondheid) wordt onderzoek gedaan naar agressie en de gevolgen ervan. Agressie en geweld houden ons meer dan ooit bezig, en meer dan eens staan we perplex. Wat te denken van een puber die zijn lerares mishandelt en bedreigt? Van de tiener die zijn leraar met een pistool om het leven brengt? Hoe kunnen we begrijpen dat een vijfjarige het bed van zijn slapende vriendinnetje in brand steekt? Waarom vermoorden twee tieners een peuter van twee? Altijd is er die ene vraag die ons bezighoudt: hoe is zoiets mogelijk?

Een direct antwoord op die vraag zul je in dit boek niet vinden, maar voor agressief en asociaal gedrag staat één ding vast: jong geleerd is oud gedaan. Is dit nu reden tot paniek? Als je met betrekking tot het moeilijke gedrag van je kind je kop in het zand steekt en denkt dat 'het vanzelf wel overgaat', kan het antwoord ja zijn, want echte problemen gaan vanzelf niet zomaar over... Maar het hoeft natuurlijk geen grote paniek op te leveren, want niet alle moeilijke, opstandige en lastige kinderen groeien automatisch uit tot delinquenten en criminelen. Met een tijdige, efficiënte aanpak valt er aan moeilijk gedrag heel wat te doen!

Wat is 'moeilijk'?

Alleen al over de definitie van moeilijk gedrag zouden we wel een boek kunnen schrijven. Moeilijk gedrag van jonge kinderen omschrijven en afbakenen is dan ook geen gemakkelijke opgave. Maar als je als ouder dat specifieke, onhandelbare gedrag van je kind wilt begrijpen, doorgronden, aanpakken en veranderen, helpt het wel om een definitie voorhanden te hebben. Vandaar dat we hier, aan het begin van dit boek, zullen proberen te omschrijven wat precies wordt bedoeld met moeilijk of asociaal gedrag, en welke soorten asociaal gedrag er zoal voorkomen.

Zowel in de wetenschappelijke als in de eerder populaire literatuur blijken er ontzettend veel termen en woorden te bestaan om moeilijk gedrag te beschrijven. 'Moeilijk doen' omvat een brede waaier van gedragingen die niet zomaar onder één noemer te brengen zijn. Het valt op dat zelfs in eerder wetenschappelijke literatuur verschillende termen voor moeilijk gedrag nogal eens door elkaar worden gebruikt. Afhankelijk van het vakgebied en de invalshoek van waaruit wetenschappers het thema benaderen, worden er uiteindelijk verschillende definities geformuleerd en gehanteerd. Zo zal een criminoloog (iemand die zich bezighoudt met de leer van de misdaad) zich vaak verdiepen in 'delinquent gedrag'. Daaronder verstaan we dan het overtreden van wetten en regels zoals het geval is bij misdaden, vandalisme en diefstal. Biologen hanteren dan weer een compleet andere terminologie om agressie te onderzoeken. Zo kunnen dieren bijvoorbeeld vechten uit territoriumdrift, prooidrift of uit verdediging.

De vele definities verschillen in de mate waarin ze rekening houden met de kenmerken, met wat voorafgaat aan en wat de gevolgen zijn van agressie. Iemand een duw geven zal als agressief beschouwd worden wanneer de kenmerken van het gedrag centraal staan. Heeft men echter ook oog voor de voorafgaande gebeurtenissen, dan zou kunnen blijken dat geduwd werd om te voorkomen dat iemand onder een tegemoet razende vrachtwagen terechtkwam. Het duwen is dan een handeling die in dat geval niet als agressief bestempeld wordt.

Een definitie die duidelijk rekening houdt met hetgeen aan agressief gedrag voorafgaat, luidt als volgt: 'Agressie omvat al het gedrag dat gesteld wordt met de intentie om een ander of meerdere anderen schade te berokkenen'. Die definitie benadrukt de intentie, de bedoeling om de ander te treffen. Zo kan een spuitje van de dokter pijnlijk zijn, maar omdat hij niet de intentie heeft je pijn te doen, is dat geen agressief gedrag. Het is echter niet altijd eenvoudig na te gaan of een kind echt de intentie had om de ander te treffen. Intenties zijn immers moeilijk te 'meten'. En wat als het kleine kind zich op de grond laat vallen omdat het zichzelf niet kan beheersen? Trouwens, vanaf welke leeftijd kan bij jonge kinderen gesproken worden van een duidelijke intentie...?

Een andere vaak gehanteerde definitie benadrukt de gevolgen van agressief gedrag. Agressie wordt dan gedefinieerd als 'gedrag dat voor een ander schade tot gevolg heeft'. Maar ook die definitie is niet eenvoudig te hanteren. Wat als Karel driftig de bal naar het hoofd van zijn jongere broer gooit, maar zijn 'doel' mist? Er zijn hier geen negatieve gevolgen, maar is het gedrag van Karel daarom niet agressief? Bovendien kan schade ook het gevolg zijn van een onopzettelijke handeling. Als de boor van de tandarts even wegglijdt, kan dat leiden tot een wondje. Toch noemen we dat geen agressief gedrag.

Misschien moet ook nog even opgemerkt worden dat de term 'agressief' niet per definitie een negatieve lading heeft. 'Agressief' spel van tennisspelers wordt massaal toegejuicht, goede politici weten flink van zich 'af te bijten' en bedrijven prijzen zich gelukkig als ze een aantal 'agressieve' verkopers in hun personeelsbestand hebben zitten.

Nauw verwant met agressie is asociaal gedrag, maar de twee gaan niet altijd samen. Dat maken we duidelijk aan de hand van het volgende voorbeeld over Robin.

Als Robin (5) bijzonder brutaal is tegen zijn juf, dan getuigt dat van asociaal gedrag. Hij gaat hier immers duidelijk in tegen de geldende norm dat je respect opbrengt voor gezagsfiguren, en dat je hen dus zeker niet brutaal tegemoet treedt.

Stel dat diezelfde Robin zijn juf zou schoppen, dan vertoont hij niet alleen asociaal, maar ook agressief gedrag. Robin trekt zich niets aan van de geldende norm dat je niet brutaal bent tegen je juf, en hij had blijkbaar ook de intentie om zijn juf schade te berokkenen.

Er is dus sprake van asociaal gedrag wanneer de geldende normen en waarden niet gerespecteerd worden.

We gaan er in ons voorbeeld van uit dat Robin agressief is omdat hij de intentie had zijn juf schade te berokkenen. Maar stel nu even dat Robin een kind is dat zich zeer moeilijk kan beheersen. Dan rijst meteen de vraag hoezeer hij zijn juf echt schade 'wilde' berokkenen. Misschien had hij niet echt de intentie, maar had hij zichzelf weer eens niet onder controle en slaagde hij er niet in zijn frustraties op een aanvaardbare manier te uiten... Zoals al werd aangegeven: er bestaan veel verschillende mogelijkheden en invalshoeken om agressie te definiëren. In dit voorbeeld fungeerde 'de intentie' als invalshoek, maar we moeten ons er dus van bewust zijn dat iedere invalshoek meteen een aantal nieuwe beperkingen, veronderstellingen en vragen met zich meebrengt.

Als een tienjarig meisje van huis wegloopt, dan is haar gedrag hoe dan ook asociaal. De algemeen aanvaarde normen en waarden bepalen immers dat meisjes van tien niet van huis weglopen. Als het meisje wegloopt om haar ouders flink te kwetsen, dan is haar gedrag bovendien ook agressief. Het zou echter ook kunnen dat het meisje wegloopt om zichzelf in veiligheid te brengen, omdat haar vader haar bijvoorbeeld regelmatig bedreigt. Het is duidelijk dat haar gedrag in dat geval niet agressief is. Ze wil haar ouders immers geen schade berokkenen, maar zichzelf in veiligheid brengen. Heel wat gedragingen vallen dus onder de noemer 'asociaal' zonder dat ze agressief zijn.

We kunnen de term 'asociaal gedrag' misschien nog wel het beste begrijpen als een 'containerbegrip', waarvan agressief gedrag deel uitmaakt. Bovendien komt agressie alleen voor bij levende wezens. Een orkaan kan bijvoorbeeld zeer gewelddadig zijn en veel schade berokkenen, maar een orkaan vertoont geen agressief gedrag.

De termen asociaal en agressief gedrag worden echter meestal in één adem genoemd, en benoemd als 'asociaal'. Het gaat dan sowieso om gedrag dat bij anderen leed berokkent, en gaat vaak gepaard met bepaalde conflicten met de omgeving. Het is dus een vrij algemene

Vernielen	Eigen spullen en spullen van anderen vernielen
Schelden	Ongehoorzaam zijn thuis en op school
Ruziemaken	Snel jaloers zijn
Stelen	Veel vechten
Slaan	Anderen lichamelijk aanvallen
Spugen	Schreeuwen, gillen
Driftbuien	Koppig zijn
Brandstichten	Stuurs en prikkelbaar zijn
Inbreken	Plotseling van stemming veranderen
Schoppen	Te veel praten
Vechten	Te veel plagen
Weglopen	Snel driftig worden
Liegen	Andere mensen bedreigen
Knijpen	Erg luidruchtig zijn
Tegenspreken	
Opscheppen, stoer doen	
Pesten, gemeen en wreed zijn	
Aandacht opeisen	
Raar of gek doen om aandacht te trekken	

Tabel 1. *Voorbeelden van asociaal gedrag*

term die zowel moeilijk, opstandig als agressief gedrag omschrijft, maar ook gedrag dat wettelijk strafbaar is (delinquentie).

De definitie die in dit boek gebruikt wordt

In dit boek zullen we de termen agressie en asociaal gedrag als synoniemen hanteren. We bedoelen daarmee **de brede waaier van gedragingen die in meer of mindere mate onwenselijk, ongepast, lastig, storend of zelfs schadelijk zijn voor anderen en/of de omgeving**. Hoe erg, hoe storend, schadelijk of vervelend het gedrag precies is, kan uiteraard nogal uiteenlopen, maar duidelijk is in elk geval wel dat het altijd gaat om gedrag dat op een of meerdere manieren ingaat tegen de geldende normen en waarden, en daardoor ongewenst is. In tabel 1 geven we een aantal voorbeelden van asociaal gedrag.

Nu we asociaal gedrag omschreven en gedefinieerd hebben, willen we wat orde scheppen in de verschillende vormen van asociaal gedrag. In een eerste deel zullen de kenmerken van het gedrag het uitgangspunt vormen. We beschrijven hierbij de verschillende soorten asociaal gedrag. Daarna kijken we hoe asociaal gedrag in de kinderpsychiatrie gecategoriseerd wordt.

Agressie en moeilijk gedrag in soorten en maten

Het beschrijven of precies definiëren van asociale gedragingen mag dan misschien onbegonnen werk zijn, door het gedrag in te delen en te groeperen op basis van verschillen en gelijkenissen leren we het moeilijke gedrag beter kennen. Zoals uit de voorbeelden zal blijken, kunnen de verschillende soorten of subtypes elkaar soms enigszins overlappen. We willen daarom ook vast waarschuwen voor een zwart-wit indeling van agressief gedrag, want meestal vertonen kinderen met probleemgedrag meerdere vormen van agressief gedrag.

De indelingen zijn echter van theoretisch belang en kunnen aanknopingspunten bieden voor specifieke behandelingen.

▸▸ *Fysieke agressie*

Jasper (3) duwt zijn zusje Evelien (1), die sinds kort wankel op haar beentjes staat, om de haverklap omver. Hij slaat haar ook regelmatig op haar hoofdje.

Jasper vertoont fysieke agressie. Misschien is fysieke agressie wel het eerste wat bij je opkomt als je het woord 'agressie' hoort. Fysieke 'activiteiten' als slaan, duwen, vechten, stampen, knijpen, krabben, enzovoort zijn allemaal voorbeelden van fysieke agressie.

▸▸ *Verbale agressie*

Je vraagt je dochter om de melk even in de koelkast te zetten. Zij reageert kortaf: 'Doe het zelf.'

Dit is een voorbeeld van verbale agressie. Fysiek is hier niets aan de hand, maar het is duidelijk dat je dochter toch agressief reageert, in dit geval met woorden. Ook roepen, tieren, dreigen en schelden zijn voorbeelden van verbale agressie.

▸▸ *Instrumentele en vijandige agressie*

Iris (5) geeft Floor een flinke duw. Floor valt om en Iris ziet haar kans schoon om de pop te pakken waar Floor mee zat te spelen.

Van instrumentele agressie is sprake als een kind agressief gedrag gebruikt als instrument om zijn doel te bereiken. Bij jonge kinderen draaien conflicten vaak om afpakken en bemachtigen van speelgoed; instrumentele agressie komt bij jonge kinderen dan ook vaak voor. Het is een vorm van agressie die gericht is op het 'veroveren' van een object.

Tom (6) stompt Jeroen hardhandig in zijn buik.

In tegenstelling tot instrumentele agressie gaat het bij vijandige agressie om het rechtstreeks treffen van de ander, om de 'tegenstander' dus, en niet om een object.

▸▸ *Proactieve en reactieve agressie*

Jan (8) daagt vaak uit. 'Kom maar hier als je durft' is een van zijn favoriete dreigementen. Verder heeft hij het ook veelvuldig over zijn vader, die 'hoofd van de politie' is. Wie het Jan moeilijk maakt, zal door zijn vader 'opgepakt' worden, laat dat vooral duidelijk zijn! Zijn klasgenootjes worden bestookt met zijn verbale intimidaties. En steeds weer is hij hen een stapje voor. Hij trekt, duwt en bepaalt wie er mee mag doen.

Hier is duidelijk sprake van proactieve agressie, aangezien bedreigingen en intimidatie duidelijk de belangrijkste ingrediënten zijn. Proactieve agressie verwijst naar het vertonen van agressief gedrag zonder dat daar een aanleiding voor is. Jan neemt zelf het initiatief, hij gaat zelf koelbloedig in de aanval om iets te krijgen of te bereiken. Instrumentele agressie is vaak ook een vorm van proactieve agressie.

Simon (7) wordt op de speelplaats per ongeluk omvergelopen. Hij beseft meteen dat het om een ongelukje gaat, en hoewel hij flink is geschrokken, gaat hij al snel gewoon verder waarmee hij bezig was. Een tijdje later wordt ook Jens per ongeluk omvergelopen. Hij gaat er meteen van uit dat het met opzet gebeurde en wordt erg boos. Hij slaat de andere leerling; zijn felle reactie is een soort van vergelding.

Boos worden en slaan zijn een agressief antwoord, emotionele reacties op een door Jens als negatief ervaren prikkel. De boze reactie van Jens is een voorbeeld van reactieve agressie. Onder reactieve agressie verstaan we agressief gedrag dat gesteld wordt als vergelding, als reactie op ander gedrag. Bij kinderen die vaak reactieve agressie vertonen, wordt een verhoogde activiteit van het autonome zenuwstelsel waargenomen.

Uit het voorbeeld kunnen we afleiden dat er bij kinderen nogal wat verschillen bestaan in het interpreteren of coderen van prikkels. Met andere woorden: niet alle kinderen verwerken dezelfde prikkels ook op dezelfde manier. Het per ongeluk omvergelopen worden leidt bij Simon en Jens tot totaal verschillende reacties. Onderzoek heeft aangetoond dat jonge kinderen die vaak hun toevlucht zoeken in reactieve agressie moeite hebben met het coderen van binnenkomende prikkels. Ze blijken het vooral moeilijk te hebben met het toekennen van de juiste betekenis aan een bepaalde stimulus en stellen zich bij voorbaat defensief op. Een auto bijvoorbeeld die toetert naar een overstekend kind, kan bij verschillende kinderen heel verschillende reacties teweegbrengen. Afhankelijk van hoe het kind in kwestie de prikkel codeert, zal het anders reageren. Misschien reageert het kind nauwelijks of niet, omdat het ervan uitgaat dat de chauffeur toetert naar iemand die hij kent. Een ander kind steekt misschien weer meteen zijn middelvinger omhoog omdat het denkt dat het sneller moet oversteken. Het voelt zich als het ware persoonlijk aangevallen. De prikkel, het toeteren van de auto, leidt tot heel verschillende reacties.

Kinderen die vaker proactieve agressie vertonen, kunnen wel de juiste betekenis aan een prikkel toekennen, maar hebben uit ervaring geleerd dat ze het gemakkelijkst hun slag kunnen slaan door zich agressief te gedragen. Langzamerhand wordt het een gewoonte om met gecontroleerd, beredeneerd agressief gedrag alles en iedereen naar hun hand te zetten. Bij deze kinderen wordt weinig activiteit van het autonome zenuwstelsel waargenomen.

▸▸ *Directe en indirecte agressie*

Agressief gedrag kan ook onderverdeeld worden in directe en indirecte agressie. Onder directe agressie verstaan we agressief gedrag dat rechtstreeks tegen iemand gericht is. Publieke verbale aanvallen en fysieke vechtpartijen zijn duidelijke voorbeelden. Indirecte agressie, daarentegen, gebeurt achter iemands rug. Het verspreiden van roddels is een voorbeeld, maar ook het opstoken van leeftijdsgenootjes om iemand als zondebok te zien. Indirecte agressie komt vaker bij meisjes voor dan bij jongens. Er wordt niet voor niets beweerd dat jongens vechten met de vuist, en meisjes met de tong...

▸▸ *Open en verdoken agressie*

Verder is er ook een onderscheid te maken tussen zogenoemd 'overt' (open) en 'covert' (verdoken) asociaal gedrag. In de eerste groep zit het gedrag dat openlijk plaatsvindt: schelden, pesten, intimideren, enz. De tweede categorie, verdoken agressie, omvat gedrag dat zich buiten het gezichtsveld van anderen afspeelt. Voorbeelden zijn stelen, bedriegen, vernielen, brandstichten, liegen, spijbelen, enz.

▸▸ *Destructief en niet-destructief gedrag*

Kimberly is vier. Als ze kwaad is, maakt ze het speelgoed van haar broer William kapot. Dit keer moest het knutselwerkje dat hij op school voor vaderdag gemaakt had, eraan geloven. Het ligt in stukken in de vuilnisbak.

Het is duidelijk dat Kimberly behoorlijk destructief te werk gaat. Als er tijdens een conflict spullen kapotgaan, spreken we van destructief gedrag. Brandstichten is uiteraard ook een voorbeeld van destructief gedrag. Maar toen je aan je dochter vroeg om de melk in de koelkast te zetten, en ze brutaal antwoordde dat je dat zelf maar moest doen, vertoonde ze niet-destructief gedrag, ook al kwam ze verbaal behoorlijk agressief uit de hoek. Er is pas sprake van destructief gedrag als er dingen aan moeten geloven. Als de bewuste fles melk aan diggelen had gelegen bijvoorbeeld...

Soorten agressie verdeeld over vier vierkanten

In een poging om de verschillende soorten agressie te classificeren, gingen onderzoekers na hoeveel dimensies er nodig zijn om alle gelijkenissen en verschillen tussen asociale gedragingen te omvatten. Door middel van een wetenschappelijke analyse, uitgevoerd op de resultaten van verscheidene studies, werd nagegaan wat de gelijkenissen en wat de verschillen waren in rapporteringen van agressieve gedragingen bij 28.400 kinderen en jongeren. Daaruit kwamen twee loodrecht op elkaar staande dimensies duidelijk naar voren. Die dimensies worden voorgesteld in figuur 1. De eerste dimensie, voorgesteld door de horizontale as (1), varieert van volledig verdoken agressie naar openlijke vormen van agressie. De tweede dimensie, voorgesteld door de verticale as (2), varieert van niet-destructieve agressie naar destructieve agressie. Door de combinatie van die twee assen ontstaan vier vierkanten waarin alle vormen van agressie een eigen plaats krijgen. De gedragingen in het eerste vak (A) worden 'eigendomsdelicten' genoemd. Het zijn allemaal gedragingen die verdoken en destructief van aard zijn. Voorbeelden zijn: brandstichten, stelen, liegen en vandalisme. Het tweede vak (B) omvat gedrag dat in meerdere of mindere mate destructief is en openlijk plaatsvindt. Dit kwadrant noemen we 'agressie'. Voorbeelden zijn vechten, intimideren, pesten en gemeen gedrag. Het derde vak, C, omvat alle statusdelicten. Daaronder verstaan we gedragingen die strafbaar zijn voor jongeren maar niet voor volwassenen. Het gaat om verdoken gedrag dat niet destructief is. Voorbeelden zijn alcoholgebruik, weglopen van huis, spijbelen en vloeken. Het vierde vak (D) bundelt alle gedragingen die niet destructief zijn maar wel openlijk vertoond worden. Dit noemen we oppositioneel gedrag. Voorbeelden van oppositioneel gedrag zijn twisten, koppig zijn, boos zijn, uitdagen en iemand vervelen. Dit boek over moeilijk gedrag bij jonge kinderen gaat vooral over het laatste vak.

Een psychiatrische stoornis...?

Lucas (9) wil op school vaak niet meedoen. Zelfs bij dingen die hij eigenlijk goed kan, weigert hij dan plots elke medewerking. Als ze rustig in groepjes moeten werken, praat hij wanneer hij eigenlijk moet zwijgen, maar hij weigert wel weer iets te vertellen als de juf erom vraagt. Bij de minste aanleiding wordt hij boos, duwt alles van zijn tafeltje en begint te mokken. Dat doet hij heel opvallend: met zijn armen stevig over elkaar en met een verbeten gezicht. Hij loopt soms ook boos de klas uit en hangt dan bij de kapstokken in de gang te 'balen'. Hij vindt dat iedereen 'tegen hem' is, maar hij kan juist helemaal niets verdragen van een ander. Uitdagen en treiteren behoren ook tot zijn

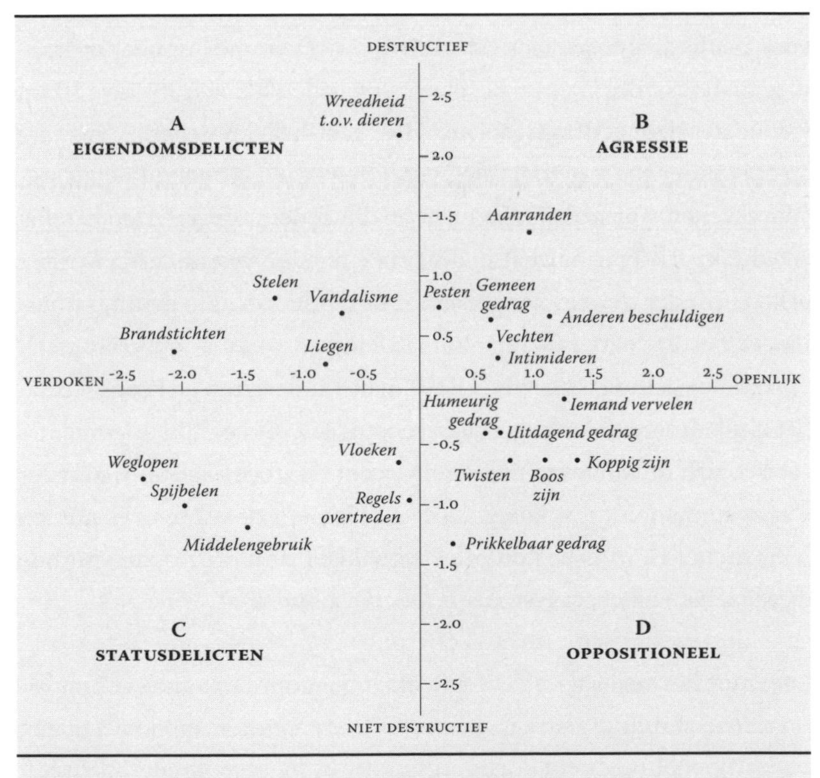

Figuur 1. *Indeling van asociaal gedrag volgens de dimensies 'openlijk-verdoken' en 'destructief-niet destructief' (Frick et al., 1993, p. 327)*

specialiteiten. In de rij staat hij zelden op zijn plaats. Liever verveelt hij de andere kinderen door hen te stoten, tegen te houden of te plagen. Hij beleeft bijzonder veel plezier aan het storen van anderen, en in de wetenschap dat zijn juf hem toch niets kan maken...!

Veel kinderen en pubers gedragen zich weleens asociaal. Dat hoort bij hun normale ontwikkeling. Pas als ze herhaaldelijk, gedurende een langere tijd, meerdere asociale gedragingen vertonen, is er sprake van een psychiatrische stoornis. Binnen de kinder- en jeugdpsychiatrie bestaan twee diagnoses die verwijzen naar asociaal gedrag op kinderleeftijd: de oppositioneel-opstandige gedragsstoornis en de asociale gedragsstoornis. Van alle kinderpsychiatrische stoornissen komen die diagnoses het meest voor. Een sleutelsymptoom voor beide diagnoses is 'slecht luisteren'. De oppositioneel-opstandige gedragsstoornis kan beschouwd worden als een milde variant van de asociale gedragsstoornis. Hier gaat het om negatief, vijandig en opstandig gedrag, zoals zich verzetten tegen vragen of regels van volwassenen, opzettelijk dingen doen die anderen ergeren, en hatelijk en wraakzuchtig zijn. De fundamentele rechten van anderen worden echter minder geweld aangedaan dan bij de asociale gedragsstoornis. Er bestaat een duidelijke samenhang tussen een oppositioneel-opstandige gedragsstoornis (ODD) in de kinderjaren en het risico dat het kind uiteindelijk een gedragsstoornis ontwikkelt. Bij ongeveer 20 tot 25% van de kinderen met ODD wordt de stoornis later niet meer waargenomen. Bij 52% houdt ODD na die periode echter wel aan. Bij bijna de helft van deze kinderen ontwikkelt de stoornis zich binnen drie jaar tot een gedragsstoornis (*conduct disorder*).

Lucas uit het verhaal voldoet aan alle voorwaarden van een 'oppositioneel-opstandige gedragsstoornis'. Om te kunnen spreken van een oppositioneel-opstandige gedragsstoornis moeten kinderen inderdaad aan een aantal voorwaarden voldoen. In tabel 2 vind je de exacte omschrijving. Uit onderzoek blijkt dat 2 tot 16% van de kinderen vol-

Oppositioneel-opstandige gedragsstoornis (*Oppositional Defiant Disorder*)

A. Een patroon van negatief, vijandig en openlijk ongehoorzaam gedrag met een duur van minimaal zes maanden waarin vier (of meer) van de volgende criteria aanwezig zijn:
   1. is vaak driftig
   2. maakt vaak ruzie met volwassenen
   3. is vaak opstandig en weigert zich aan te passen aan verzoeken of regels van volwassenen
   4. ergert vaak met opzet anderen
   5. geeft anderen vaak de schuld van eigen fouten of wangedrag
   6. is vaak prikkelbaar en ergert zich gemakkelijk aan anderen
   7. is vaak boos en gepikeerd
   8. is vaak hatelijk en wraakzuchtig

N.B.: Overweeg dat pas aan een criterium wordt voldaan als het gedrag vaker voorkomt dan kenmerkend is voor qua leeftijd en ontwikkelingsniveau vergelijkbare personen.

B. De gedragsstoornis veroorzaakt in significante mate beperkingen in het sociale, schoolse of beroepsmatige functioneren.

C. De gedragingen komen niet uitsluitend voor tijdens het beloop van een psychotische of stemmingsstoornis.

D. Er wordt niet voldaan aan de criteria van een gedragsstoornis en indien de betrokkene achttien jaar of ouder is, wordt niet voldaan aan de criteria van de asociale persoonlijkheidsstoornis.

Tabel 2. *Criteria van de Oppositioneel-opstandige gedragsstoornis volgens DSM-IV-TR-classificatie* doet aan de diagnose van een oppositioneel-opstandige gedragsstoornis. De ontwikkeling van die kinderen verloopt verstoord op sociaal gebied (ze worden bijvoorbeeld uit de groep gestoten), op emotioneel gebied (ze zijn bijvoorbeeld licht ontvlambaar) en op cognitief gebied (ze falen bijvoorbeeld op school).

Andy (7) wordt door zijn juf bestempeld als zeer agressief en opvliegend. Als er op de speelplaats gepest wordt, is hij gegarandeerd een van de ergste. Hij beleeft opvallend veel plezier aan pijnigen en vernielen. Hij probeerde ooit de lievelingsknikkers van een klasgenoot door het toilet te spoelen, zodat die jongen er minder zou hebben dan hij. Een ander kind van streek maken lijkt hij het mooiste te vinden wat er bestaat. Hij gaat regelmatig op de vuist met andere kinderen, zelfs met kinderen uit hogere klassen. Zijn ouders vertellen dat Andy zijn jongere zusje ook nogal eens hardhandig aanpakt als hij zijn zin niet krijgt. Hij dreigt regelmatig dat hij haar 'in elkaar zal slaan' als ze dit of dat niet voor hem doet. Ook de hond van het gezin kent weinig rust. Het beest wordt vaak met stenen bekogeld en aan zijn staart getrokken. Andy gebruikt regelmatig schuttingtaal en uit grove beledigingen als 'Hoer!' en 'Mongool!'. Andy weet kortom perfect hoe hij iedereen tegen zich in het harnas moet jagen...

De gedragsstoornis beschrijft een gedragspatroon dat zich hardnekkig blijft herhalen, en waarbij de fundamentele rechten van anderen, of belangrijke bij de leeftijd passende normen of regels, geweld worden aangedaan. In tabel 3 worden de criteria van de gedragsstoornis beschreven. Kenmerkende symptomen van de asociale gedragsstoornis (*conduct disorder*) zijn vechten, stelen, spijbelen en liegen. Door dergelijk gedrag doet het kind of de jeugdige de fundamentele rechten van anderen geweld aan. Zo is vechten een inbreuk op het recht op bescherming van het eigen lichaam. Stelen gaat in tegen het recht op eigen bezit. Met gedrag als liegen en spijbelen overtreedt het kind ook leeftijdovereenkomstige normen en regels.

Gedragsstoornis *(Conduct Disorder)*

A. Een zich herhalend en aanhoudend gedragspatroon waarbij de grondrechten van anderen of belangrijke bij de leeftijd horende sociale normen of regels worden overtreden, zoals blijkt uit de aanwezigheid gedurende de laatste 12 maanden van drie (of meer) van de volgende criteria, met ten minste de laatste zes maanden één criterium aanwezig:

Agressie gericht op mensen en dieren

1. pest, bedreigt of intimideert vaak anderen
2. begint vaak vechtpartijen
3. heeft een 'wapen' gebruikt dat anderen ernstig lichamelijk letsel kan toebrengen (bijvoorbeeld een kei, gebroken fles, mes, vuurwapen)
4. heeft mensen mishandeld
5. heeft dieren mishandeld
6. heeft in direct contact een slachtoffer bestolen (bijvoorbeeld iemand van achteren neerslaan, handtasdiefstal, afpersing, gewapende overval)
7. heeft iemand tot seksueel contact gedwongen

Vernieling van eigendom

8. heeft opzettelijk brand gesticht met de bedoeling ernstige schade te veroorzaken
9. heeft opzettelijk eigendommen van anderen vernield (anders dan door brandstichting)

Leugenachtigheid of diefstal

10. heeft ingebroken in iemands huis, gebouw of auto
11. liegt vaak om goederen of gunsten van anderen te krijgen of om verplichtingen uit de weg te gaan (bijvoorbeeld oplichting)
12. heeft zonder direct contact met het slachtoffer voorwerpen van waarde gestolen (bijvoorbeeld winkeldiefstal maar zonder in te breken, valsheid in geschrifte)

Ernstige schendingen van regels

13. blijft vaak, ondanks het verbod van de ouders 's nachts van huis weg, beginnend voor het dertiende jaar
14. is ten minste tweemaal van huis weggelopen en 's nachts weggebleven (of eenmaal gedurende een langere periode zonder terug te keren)
15. spijbelt vaak, beginnend voor het dertiende jaar

B. De gedragsstoornis veroorzaakt in significante mate beperkingen in het sociale, schoolse of beroepsmatige functioneren.

C. Indien de betrokkene 18 jaar of ouder is en niet wordt voldaan aan de criteria van een asociale persoonlijkheid.

Op basis van de beginleeftijd:

- Type beginnend in de kinderleeftijd: het begin van ten minste één criterium, karakteristiek voor een gedragsstoornis, ligt voor het tiende jaar.
- Type beginnend in de adolescentie: geen enkel criterium, karakteristiek voor een gedragsstoornis, ligt voor het tiende jaar.

Ernst:

- Licht: weinig of niet meer gedragsproblemen dan nodig zijn om de diagnose te stellen en de gedragsproblemen veroorzaken slechts geringe schade aan anderen (bijvoorbeeld liegen, spijbelen, zonder toestemming buiten blijven als het al donker is).
- Matig: het aantal gedragsproblemen en het effect ervan op anderen liggen tussen 'licht' en 'ernstig' (bijvoorbeeld stelen zonder confrontatie met het slachtoffer, vandalisme).
- Ernstig: veel meer gedragsproblemen dan nodig zijn om de diagnose te stellen of de gedragsproblemen veroorzaken aanzienlijke schade aan anderen (bijvoorbeeld gedwongen seks, lichamelijke wreedheid, gebruik van een wapen, stelen met direct contact met het slachtoffer, inbraak).

Tabel 3. *Criteria van de asociale gedragsstoornis volgens DSM-IV-TR-classificatie*

Bij 6 tot 16% van de jongens en bij 2 tot 9% van de meisjes zou een asociale gedragsstoornis voorkomen. De cijfers van verschillende onderzoeken lopen wat dat betreft wel nogal uiteen. Veel heeft te maken met de populatie; het maakt heel wat uit of je opgroeit in een probleemwijk in Los Angeles, een landelijk dorpje in de provincie, of in een nette straat in Brasschaat.

Melanie (10) was lief, vriendelijk en gastvrij, en op school stelde ze geen enkel probleem. Toch maakten haar ouders melding van het feit dat Melanie een paar keer stiekem op haar kamer brand gesticht had, en dat een deel van het huisraad regelmatig moest geloven aan Melanies woede-uitbarstingen.

We willen hier ook vermelden dat moeilijk gedrag eveneens vaak voorkomt bij kinderen met een aandachtstekort/hyperactiviteitstoornis (ADHD). Deze kinderen hebben onder andere moeite met het volgen van instructies van volwassenen, en kunnen moeilijk stilzitten. Dergelijke gedragingen zijn echter niet het gevolg van verzet, maar houden verband met stoornissen in de aandacht en overbeweeglijkheid of impulsiviteit. Bij nogal wat kinderen komen ADHD en een oppositioneel-opstandige gedragsstoornis samen voor. Tot slot stippen we even aan dat moeilijk, storend gedrag eveneens kan voorkomen bij kinderen die lijden aan een depressie, een aanpassingsstoornis of stoornissen in de impulscontrole.

Het meten van asociaal gedrag

Bij de psychiatrische diagnoses voldoet een kind al dan niet aan de criteria: of het heeft een ‘stoornis’, of het heeft geen ‘stoornis’. Dat wordt de categoriale benadering genoemd. Daarnaast zijn er ook vragenlijsten ontwikkeld om asociaal gedrag te meten. Daarbij varieert de score voor gedrag op een continuüm van helemaal geen tot heel veel. Dat wordt de dimensionale benadering genoemd. Het voordeel van deze benadering is dat de score vergeleken kan worden met scores van andere kinderen van dezelfde leeftijd en hetzelfde geslacht. Dat wordt de normgroep genoemd. Door die vergelijking kan bepaald worden of een kind al dan niet 'normaal' of 'afwijkend' gedrag vertoont ten opzichte van andere kinderen. Die vragenlijsten worden afgenomen en geïnterpreteerd in gespecialiseerde centra voor hulpverlening. Op basis van duidelijke criteria wordt dan bepaald of het gedrag echt problematisch is en of begeleiding/hulpverlening al dan niet nodig is.

Moeders rapporteren meer probleemgedrag dan vaders en leerkrachten

Zoals in de inleiding al werd aangegeven, willen we in dit boek onderzoeksresultaten presenteren van een grootschalig onderzoek naar opvoeding en probleemgedrag in Vlaanderen, waarbij 682 kinderen drie opeenvolgende jaren ondervraagd werden. Van 597 kinderen vulde zowel de moeder, de vader als de leerkracht de gedragsvragenlijst voor kinderen van 4 tot en met 18 jaar van Verhulst, van der Ende en Koot (1996) in. Met die vragenlijst, die zeer veel bij internationaal onderzoek gebruikt wordt, kan het asociaal gedrag van het kind gemeten worden. De antwoordmogelijkheden bij iedere vraag waren:
0 = is helemaal niet van toepassing,
1 = is een beetje of soms van toepassing,
2 = is duidelijk of vaak van toepassing
tijdens de afgelopen twee maanden

De volgende grafieken geven een duidelijk beeld van het probleemgedrag dat wordt gerapporteerd door moeders, vaders en leerkrachten.

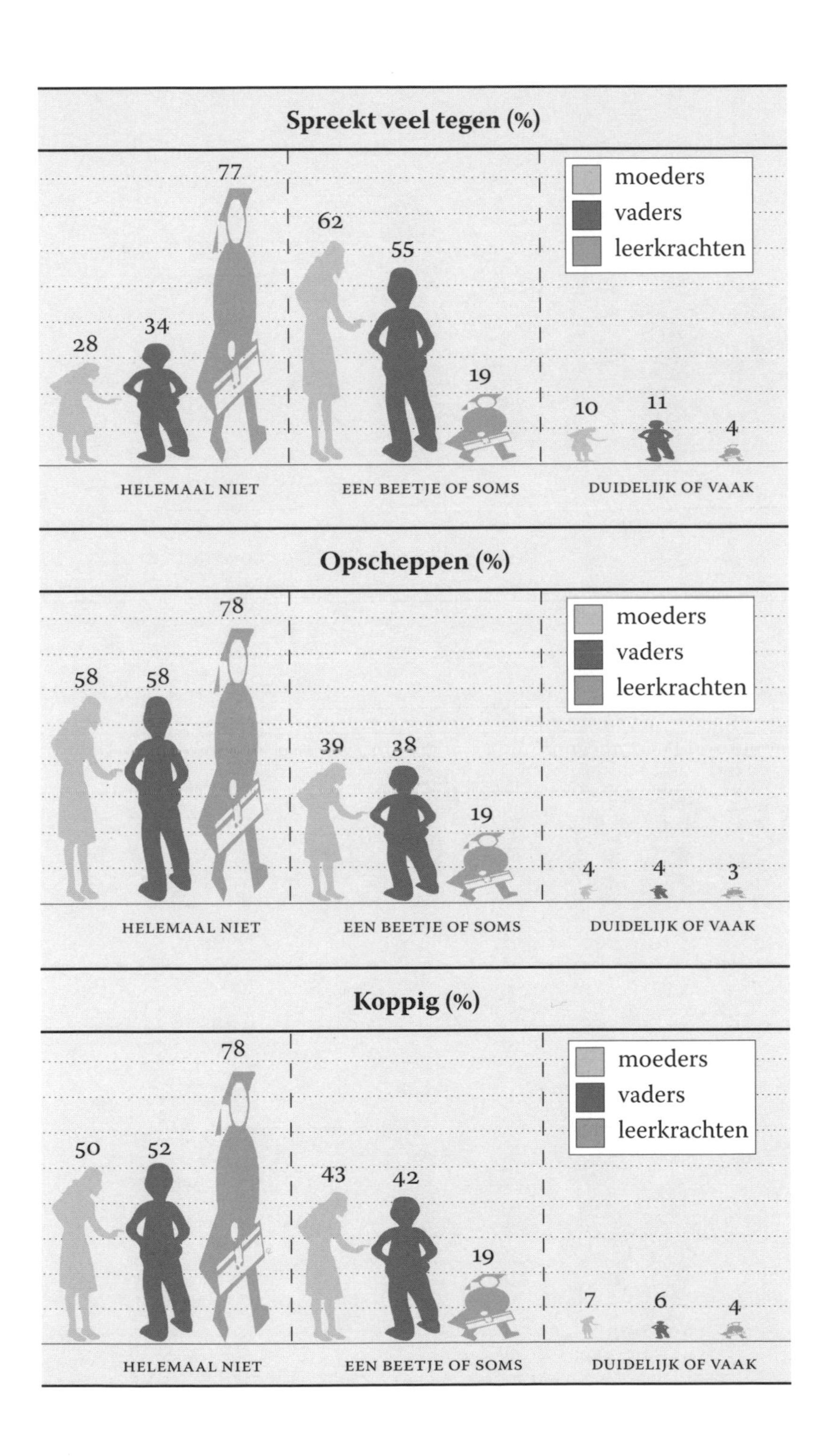
Spreekt veel tegen (%)
moeders
vaders
leerkrachten
28
34
77
62
55
19
10
11
4
HELEMAAL NIET
EEN BEETJE OF SOMS
DUIDELIJK OF VAAK
Opscheppen (%)
moeders
vaders
leerkrachten
58
58
78
39
38
19
4
4
3
HELEMAAL NIET
EEN BEETJE OF SOMS
DUIDELIJK OF VAAK
Koppig (%)
moeders
vaders
leerkrachten
50
52
78
43
42
19
7
6
4
HELEMAAL NIET
EEN BEETJE OF SOMS
DUIDELIJK OF VAAK

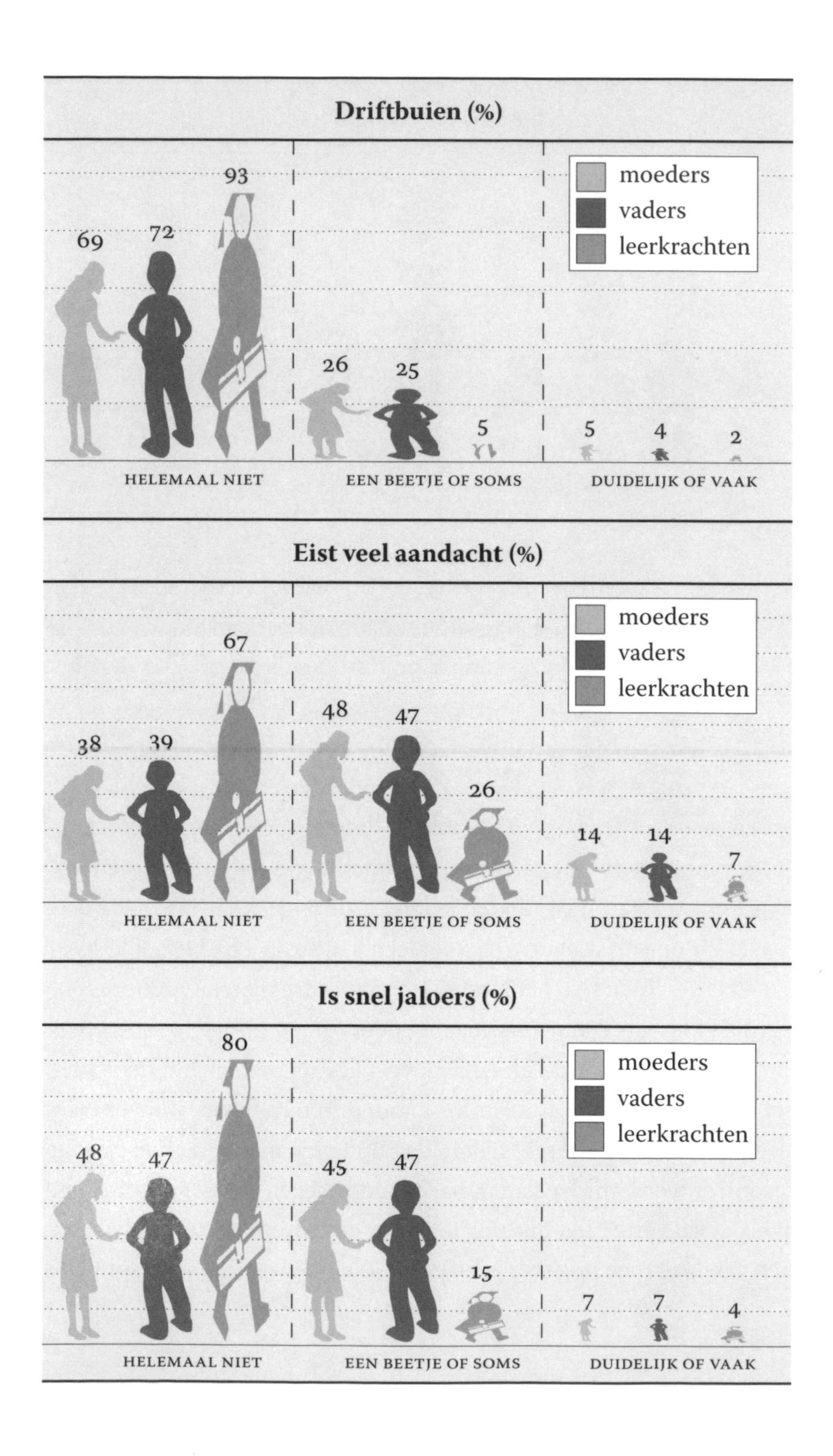

Driftbuien (%)
moeders
vaders
leerkrachten
69
72
93
26
25
5
5
4
2
HELEMAAL NIET
EEN BEETJE OF SOMS
DUIDELIJK OF VAAK
Eist veel aandacht (%)
moeders
vaders
leerkrachten
38
39
67
48
47
26
14
14
7
HELEMAAL NIET
EEN BEETJE OF SOMS
DUIDELIJK OF VAAK
Is snel jaloers (%)
moeders
vaders
leerkrachten
48
47
80
45
47
15
7
7
4
HELEMAAL NIET
EEN BEETJE OF SOMS
DUIDELIJK OF VAAK

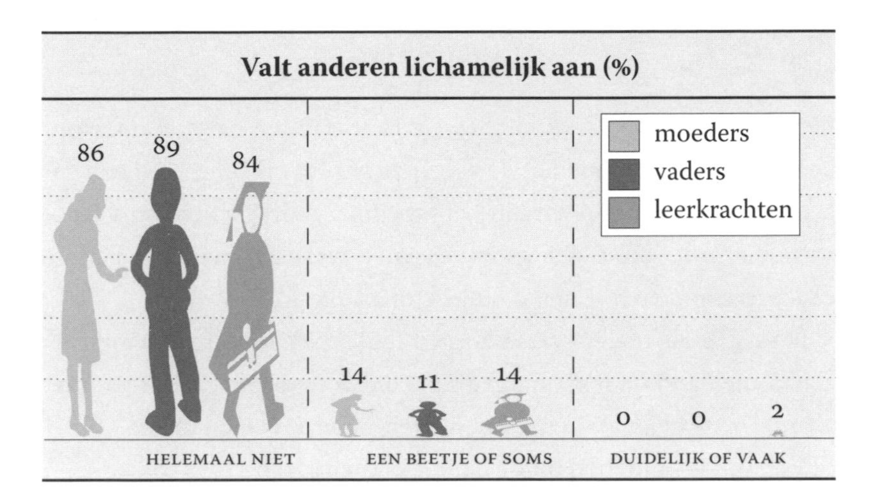

Als we kijken naar 'spreekt veel tegen' bijvoorbeeld, dan zien we dat de moeders het vaakst aangeven dat dat een beetje of soms (62%) of vaak (10%) van toepassing is op hun kind. Vaders rapporteren minder probleemgedrag dan moeders (een beetje of soms: 55%; en vaak: 11%). De leerkrachten ten slotte rapporteren het minst dat 'tegenspreken' een probleem is (een beetje of soms: 19%; en vaak: 4%). Ook voor andere asociale gedragingen valt op dat moeders meer probleemgedrag rapporteren dan vaders en duidelijk meer dan leerkrachten. Mogelijke verklaringen zijn dat iedereen zijn eigen idee heeft van wat gepast en ongepast gedrag is voor een kind van een bepaalde leeftijd. Leerkrachten zien het kind tussen leeftijdsgenoten functioneren, en in de klas worden nu eenmaal andere verwachtingen gesteld dan thuis. Verder brengt de moeder in veel gevallen meer tijd door met het kind dan de vader, wat kan verklaren waarom moeders meer probleemgedrag rapporteren. Iedere dag opnieuw met hetzelfde gedrag geconfronteerd worden kan zwaarder doorwegen bij de rapportering. In elk geval vertelt het ons ook iets over de cultuur waarin opvoeden zich vandaag toch nog steeds afspeelt, alle nieuwe papa's ten spijt...

Blijf alert!

Met dit eerste hoofdstuk hebben we je allerminst bang of nodeloos ongerust willen maken! Uit de volgende hoofdstukken zal blijken dat je heel veel zelf kunt doen om het moeilijke gedrag van je kind bij te sturen. Je zult vooral ook gaan begrijpen waar het moeilijke gedrag vandaan komt, en hoe het er langzaam is ingeslopen.

Je mag je als ouder gerust zorgen maken over je kind. Want ook al kan niemand de toekomst van je kind voorspellen, het is van het allergrootste belang om alert te blijven, en er vroeg bij te zijn als het gedrag van je kind toch uit de hand dreigt te lopen.

Wat hebben we in dit hoofdstuk geleerd?

- Agressief of asociaal gedrag is niet eenvoudig te definiëren!
- De verschillende vormen van asociaal gedrag kunnen met twee dimensies weergegeven worden.
- In de kinder- en jeugdpsychiatrie worden twee diagnoses gehanteerd: de oppositioneel-opstandige gedragsstoornis en de gedragsstoornis (*conduct disorder*).

II •• HOE EVOLUEERT ASOCIAAL GEDRAG? EN ZIJN ER VERSCHILLEN TUSSEN JONGENS EN MEISJES?

Hanne, Jeffrey en Thomas zijn respectievelijk 19, 22 en 24 maanden oud. Terwijl hun ouders werken, worden de kinderen opgevangen door An, de onthaalmama. An heeft haar handen vol aan het trio, want samen spelen lukt nog lang niet altijd, en eigenlijk is het alleen even rustig in huis als ze alle drie een eigen stukje speelterrein hebben gevonden. Maar dan nog gebeurt het meer dan eens dat ze elkaar opzoeken om autootjes, puzzels en beertjes van elkaar af te pakken, elkaars stukje appel op te eten, of aan elkaars kleren te trekken. Kortom, Hanne, Jeffrey en Thomas zijn heel normale peuters.

Als ze een jaar of zes, zeven zijn, is de kans dan ook groot dat hun juf hen zal beschrijven als heel gewone kinderen. Met het opgroeien zal hun gedrag immers flink bijgeschaafd worden en zullen ze heel wat sociaal gedrag verworven hebben. Jeffrey en Thomas zullen dan vaak samen op de speelplaats voetballen. En Jeffrey zal niet langer als een razende tekeergaan als hij de bal niet kan bemachtigen.

Hanne babbelt er inmiddels lustig met haar vriendinnetjes op los. Ze begint niet te krijsen als een vriendinnetje een stuk van haar appel eet; ze had immers zelf voorgesteld de appel te delen.

Maar wat is er nu echt gebeurd? Wat is er veranderd in die paar jaren? Op welke leeftijd zijn onze kinderen het 'moeilijkst'? Worden ze 'vanzelf' braver als ze ouder worden? En klopt het dat jongens agressiever zijn dan meisjes?

In dit hoofdstuk willen we op die vragen graag een antwoord geven.

Een kind evolueert, zijn gedrag ook

Er is inmiddels heel wat onderzoek gedaan naar de oorzaken van asociaal gedrag bij kinderen, maar over de invloed die de leeftijd en het geslacht van het kind op zijn of haar gedrag hebben, bestaan relatief weinig gegevens. Heel veel van de bestaande onderzoeken richten zich immers op probleemgezinnen en beperken zich tot jongens. Tabel 1 geeft een samenvatting van de gemiddelde leeftijd waarop ouders melden dat hun kind bepaald asociaal gedrag vertoont. Het gedrag wordt ingedeeld volgens de vier vierkanten uit hoofdstuk 1. Bij jonge kinderen komt vooral oppositioneel gedrag voor. Zoals blijkt uit tabel 1 worden 'koppig zijn' en 'boos worden' bij jonge kinderen het vaakst gerapporteerd. Bij oudere kinderen komen 'uitdagen', 'wreed zijn', 'spijbelen', 'vloeken' of 'weglopen' het vaakst voor.

Gemiddelde leeftijd	Oppositioneel gedrag	Agressief gedrag	Eigendoms-delicten	Status-delicten
4	Koppig			
5	Wordt boos			
6	Tart, maakt ruzie, prikkelbaar	Hatelijk, vecht veel Geeft anderen schuld		
6,5	Ergert anderen		Liegt, wreed tegen dieren	
7	Is boos	Daagt uit, wreed	Vernielt	
7,5		Valt aan	Steelt	
8			Sticht brand	
8,5				Spijbelt
9				Vloekt
10				Loopt weg

Tabel 1: *Gemiddelde leeftijd waarop ouders melden dat hun kind asociaal gedrag vertoont (bewerking van Frick et al., 1993, p. 330)*

Van baby tot puber

Echt agressief zijn kinderen voor de leeftijd van twaalf à achttien maanden niet. Maar loop even binnen in de crèche, en je merkt meteen dat een behoorlijk deel van alle interacties tussen de kleintjes kan worden bestempeld als conflictueus, of op zijn minst storend. Denk maar even terug aan de bijzonder gevulde dagen van onthaalmama An en haar peuters Hanne, Jeffrey en Thomas... Bij heel jonge kinderen wordt een bepaalde mate van agressie niet als abnormaal bestempeld. Ieder kind is weleens opstandig, eigenwijs of agressief. Opgroeien betekent immers onder meer dat je sociale vaardigheden moet verwerven en aan maatschappelijke eisen moet leren voldoen, en soms zijn het net conflicten die je daarbij het beste op weg helpen. De agressieve kantjes van heel jonge kinderen zullen in de loop van de eerste levensjaren flink bijgeschaafd moeten worden, en kleine aanvaringen met anderen kunnen daarbij helpen.

Moeilijk gedrag van jonge kinderen heeft vooral te maken met het verwerven van autonomie. Peuters worden vooral kwaad (of zelfs razend) als het gaat over zaken als hun bordje leeg eten, in bad gaan en zindelijk worden. Ook het willen bezitten en afpakken is vaak aanleiding voor indrukwekkende uitbarstingen van woede en agressie. In het Engels heeft men het weleens over '*the terrible twos*', waarmee gerefereerd wordt aan de soms wel heel moeilijke koppigheidsfase zo rond de leeftijd van anderhalf tot drie jaar. Dat wordt ook weleens de 'eerste adolescentie' of de 'kleuterpuberteit' genoemd. De ontwikkeling van een eigen willetje kan gepaard gaan met driftbuien en koppigheid. 'Ik wil', 'ik moet' of 'ikke zelf doen' zijn typerende uitspraken voor kinderen in deze fase.

De ouders van Britt (2) hebben totnogtoe weinig problemen gehad met hun dochter. Ze is goedlachs en rustig, en speelt thuis moeiteloos alleen. De laatste tijd wil ze echter nogal eens dwars liggen. Bijna letterlijk zelfs... Als haar moeder haar vraagt om in de auto te stappen bijvoorbeeld, omdat ze snel nog wat boodschappen moet doen, weigert ze in alle toonaarden en zorgt ze voor heel wat oponthoud. Als mama Britt dan maar naar de auto draagt, gilt het meisje dat ze zélf wil instappen.

Op verzoek van Bram (2,5) maakte zijn moeder onlangs zijn lievelingseten klaar: macaroni. Maar toen de macaroni eenmaal op tafel stond, begon Bram te zeuren dat hij helemaal geen macaroni wilde, maar appelmoes met worst...

Wat Britt en Bram doen, is niet abnormaal. In de meeste gevallen verdwijnt dat moeilijke gedrag vanzelf. Maar bij de aanwezigheid van risicofactoren zoals een moeilijk temperament of een opvoeding die niet optimaal verloopt, kan dit wél het startpunt zijn van een afwijkende ontwikkeling.

Bij kleuters richt bijna alle agressie zich op leeftijdsgenoten, en zelden op volwassen verzorgers. De conflicten die ze nu 'uitvechten' helpen hen niet alleen die ene pop of dat ene autootje te bemachtigen, maar komen ook hun assertiviteit ten goede. Zoals uit tabel 1 blijkt, verdwijnt deze moeilijke koppigheidsfase met het ouder worden, maar ander moeilijk gedrag neemt dan weer toe. Langzaamaan zullen beledigingen, plagerijen en uitlachen een grotere rol in allerlei conflicten gaan spelen. Vaak draaien dergelijke ruzies om 'de leiding hebben' en komt er manipulatie aan te pas. Ook ontwikkelen kinderen een steeds grotere vaardigheid om conflictjes op te lossen. Ze krijgen in deze fase van hun jonge leventje in elk geval heel wat belangrijke lessen, die hen later nog goed van pas zullen komen als ze ook zullen moeten functioneren in een klas, een school en de maatschappij. Wanneer kinderen nog ouder worden, gaat het vooral om het overtreden van regels en normen buiten hun gezin. Een beginnende puber zal zich langzaam los beginnen te maken van het ouderlijke nest en probeert grenzen en regels af te tasten. Omdat dat gedrag vaak in groep plaatsvindt, worden bepaalde regels en normen gemakkelijker overtreden. Nog enkele jaren verder, midden in de puberteit, zal van echt agressief gedrag in principe veel minder sprake zijn. Althans, uit de cijfers blijkt dat het asociale gedrag in frequentie afneemt, maar dat de vorm van het gedrag wel vaak ernstiger wordt! Zo gaan jongeren bijvoorbeeld drugs gebruiken, risicovol seksueel gedrag vertonen of in het openbaar alcohol misbruiken... Bij adolescenten en jongvolwassenen neemt openlijke agressie zoals vechten duidelijk af, maar verdoken agressie als stelen, liegen en allerlei regels overtreden komt dan weer vaker voor. Bij het begin van de seksuele maturiteit is het willen behouden of het installeren van een zekere sociale dominantie erg belangrijk, in het bijzonder voor jonge mannen.

▸▸ *De evolutie van asociaal gedrag bij jonge kinderen*

In figuur 1 wordt het ontwikkelingspatroon van 680 Vlaamse kinderen van vier tot en met negen jaar uiteengezet. Irriterend, vervelend gedrag en driftbuien mogen bij veel kleuters dan al aan de orde van de dag zijn tegen de tijd dat diezelfde kinderen een jaar of zeven, acht zijn, zijn de onweersneigingen grotendeels voorbijgetrokken. De vormen waarin hun asociale gedrag zich uit, veranderen immers tijdens het ouder worden. In figuur 1 zien we trouwens een duidelijk dalen-

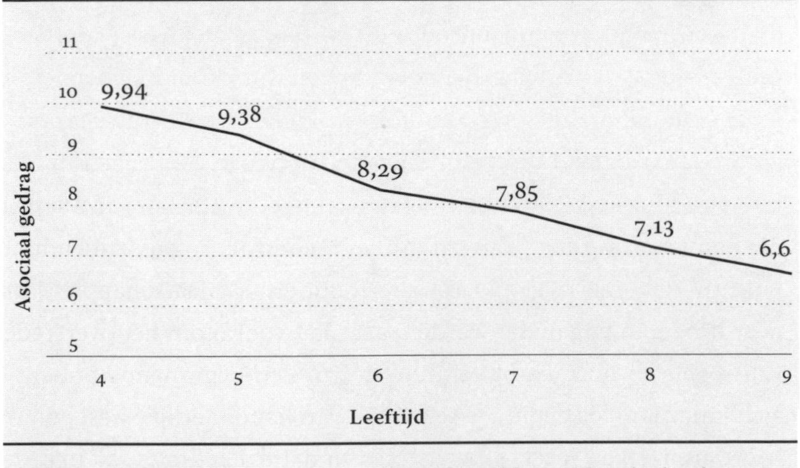

Figuur 1. *Gemiddelde scores voor asociaal probleemgedrag bij kinderen van vier tot en met negen jaar (moederrapporteringen)*

de trend van asociaal gedrag vanaf de leeftijd van vier jaar. Uit het onderzoek naar opvoeding en probleemgedrag bleek dat bij de moederrapporteringen asociaal gedrag van vier tot negen jaar daalde met 34%. Elkaar slaan of duwen, aan kleren of haren trekken... het wordt met het ouder worden allemaal wat minder. Als kinderen een jaar of drie, vier zijn, ruimen hun puur fysieke vormen van agressie immers langzaam baan voor meer verbale agressie.

In de onderstaande figuren wordt de dalende trend geïllustreerd met cijfermateriaal uit het onderzoek naar opvoeding en probleemgedrag

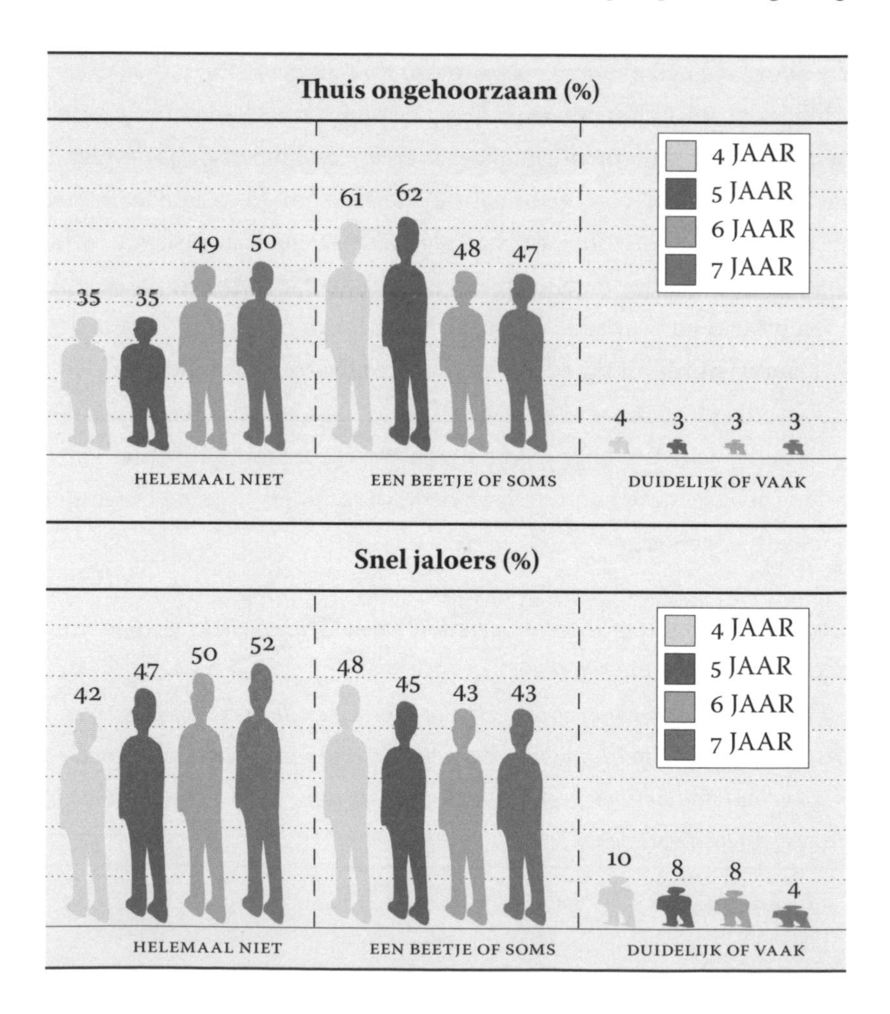

in Vlaanderen. Waar bij vier- en vijfjarigen 35% van de moeders aangeeft dat hun kind thuis niet ongehoorzaam is, rapporteert bij zevenjarigen 50% van de moeders dat dat niet voorkomt bij hun kind. Een analoge trend wordt teruggevonden voor de vraag in welke mate hun kind snel jaloers wordt.

▸▸ *Liever met woorden dan met daden*

Een verklaring voor de dalende trend van asociaal gedrag is niet zo moeilijk te vinden: de kinderen leren voortdurend nieuwe woorden en worden verbaal gewoon veel handiger. De taalverwerving en de ontwikkeling van communicatieve vaardigheden draaien in deze levensfase op volle toeren. Een kind kan zich dus steeds beter verbaal uitdrukken, en zal minder geneigd zijn om fysieke agressie naar boven te halen als het iets duidelijk wil maken. Het kan zijn frustraties én zijn prikkelbare motorische gedrag in principe steeds beter beheersen. Via zijn taal weet een kind allerlei frustraties vlotter te kanaliseren, en zal het bijvoorbeeld niet meer tegen een deur schoppen.

Studies tonen overigens een duidelijk verband tussen een vertraagde taalontwikkeling en agressief probleemgedrag bij kinderen. De taalontwikkeling draagt bij tot een afname van agressief en moeilijk gedrag, dus is het te begrijpen dat een tragere taalontwikkeling kan leiden tot agressieve conflicten en heel wat problemen in de omgang met leeftijdsgenootjes.

Klaas (5) trekt zijn moeder aan haar mouw. 'Mama, ik krijg de deur niet open! Help je me even?'

Een heel verschil met vroeger! Wie Klaas kende toen hij pas twee was, weet ongetwijfeld nog hoe het ventje zich toen gillend van woede op de grond zou hebben gegooid nadat hij de deur in kwestie eerst een flinke trap had verkocht...

▸▸ *Joepie, straks mag ik...!*

Toch is het niet alleen een steeds betere taalbeheersing die ervoor zorgt dat agressief gedrag van een kind afneemt. Ook het feit dat kinderen met het ouder worden steeds beter kunnen omgaan met 'uitgestelde beloningen', speelt mee. Tegelijk met hun taal leren kinderen namelijk ook om zich mentale voorstellingen te maken van beloningen of gevolgen. Langzaam gaan ze begrijpen wat het betekent om over tien minuutjes wél met die pop of die auto te mogen spelen, maar dat het kleine zusje er nu mee speelt.

Het heeft niet veel zin om tegen een peuter van anderhalf iets te zeggen als: 'Als je nu je boterham opeet, mag je straks nog even televisiekijken.' Een jonge peuter is immers nog niet in staat om dat te begrijpen. Maar een iets ouder kind leert dergelijke mededelingen stilletjes aan wel begrijpen, en zal dus in staat zijn om 'nu' rekening te houden met wat hem 'straks' te wachten staat.

▸▸ *Pas op, je doet je zusje pijn!*

Ook de ontwikkeling van het empathisch vermogen ontwikkelt zich vanaf de kleuterleeftijd steeds sneller en beter. Een kleuter met een groeiend inlevingsvermogen kan dus steeds beter begrijpen wat er precies bedoeld wordt met: 'Je mag je zusje niet slaan, want zo doe je haar pijn!'

Als ze eenmaal een jaar of zes, zeven zijn, wordt het asociale gedrag van kleuters trouwens meer en meer persoonsgebonden, en minder gericht op het 'veroveren' van speelgoed. Juist doordat ze zich op deze leeftijd al beter kunnen inleven in anderen, ontdekken ze ook de zwakke plekken van de 'tegenstander' veel gemakkelijker, en kunnen ze hem dus direct treffen.

De ontwikkeling van empathische vaardigheden vindt bij elk kind steeds stap voor stap plaats, en houdt min of meer gelijke tred met het rijpingsproces van de zenuwbanen. Het steeds verwerven van nieuwe vaardigheden (zoals zich kunnen inleven in een ander) is een gevolg van de groeiende ontwikkeling van de hersenen en de zenuwbanen.

Dat gaat meteen ook gepaard met een betere beheersing van impulsieve en agressieve reacties.

De verdere ontwikkeling van asociaal gedrag

Zoals ook blijkt uit figuur 1 maken kinderen rond de tijd dat ze naar het eerste leerjaar (groep drie) gaan de allergrootste sprong voorwaarts. Ze zijn dan rond de zes jaar, en de intensiteit en de frequentie van alle vormen van agressie nemen op die leeftijd bij de meeste kinderen af. De extra structuur die nu in de klas wordt geboden, draagt bij aan het evoluerende gedrag. In de klas beslist juf of meester immers wanneer er gelezen of gerekend wordt, en wordt er veel minder tijd vrij spelend doorgebracht. De vaste structuur die een kind op school krijgt, is trouwens de belangrijkste verklaring voor het feit dat veel kinderen op school nooit doen wat ze thuis wel uitproberen. Regels en afspraken worden hen steeds duidelijker, en ze zullen zich meer en meer gaan bezighouden met sport, spel, leren en huiswerk maken. Bovendien krijgen ze van leeftijdsgenoten nog extra feedback. Kinderen maken hun klasgenootjes soms duidelijk dat ze storend gedrag gewoon niet leuk vinden. Het aantal relaties dat kinderen aangaan en onderhouden groeit nu voortdurend, maar kinderen die storen of lastig zijn, worden veel minder gemakkelijk aanvaard en opgenomen in de groep. Kinderen krijgen zo meer en meer inzicht in sociale regels en leren verschillende manieren om allerlei conflicten op te lossen, zonder dat er agressief gedrag aan te pas hoeft te komen. Hoe meer relaties, hoe meer feedback, en dat draagt bij tot de afname van agressief gedrag.

Is jong geleerd oud gedaan?

Uit tabel 1 leiden we de algemene trends in de ontwikkeling van agressief gedrag af. Op die manier komen we meteen ook te weten welk gedrag eventueel nog als 'normatief' gezien kan worden voor een bepaalde leeftijd. De algemene trends kunnen ongetwijfeld helpen om bepaald asociaal gedrag te herkennen en om na te gaan welke kinderen het risico lopen om in de loop der jaren ernstige vormen van asociaal gedrag te ontwikkelen. Een kind dat op de kleuterschool zijn juf schopt bijvoorbeeld, wijkt duidelijk af van wat nog zou kunnen worden gezien als min of meer normatief. Een kind dat op de lagere school nog vaak andere kinderen fysiek aanvalt, zich nog regelmatig woedend op de grond gooit of nog steeds bezittingen van andere kinderen afpakt, wijkt eveneens af van wat gezien wordt als een normaal traject. Weten op welke leeftijd bepaald gedrag het vaakst voorkomt, kan je als ouder op weg helpen om te oordelen of het gedrag van je kind al dan niet problematisch is, en of het nuttig is om hulp te zoeken.

Een belangrijke bevinding van het onderzoek naar opvoeding en gedragsproblemen in Vlaanderen is dat asociaal gedrag vrij stabiel is. Zoals blijkt uit figuur 1 neemt asociaal gedrag gemiddeld genomen af tussen de leeftijd van vier en negen jaar, maar uit de resultaten bleek dat de afname kleiner is bij kinderen die op jonge leeftijd frequent asociaal gedrag vertonen. Asociaal gedrag is ongeveer even stabiel als intelligentie. Aan de hand van een voorbeeld wordt dat wellicht duidelijker.

Toen Hendrik in groep drie of het eerste leerjaar zat, bleek hij meteen een voorliefde te hebben voor rekenen. Sommen maken ging hem heel gemakkelijk af, en hij haalde voor rekenen dan ook altijd het hoogste cijfer. Enkele jaren later koos hij, op aanraden van de directeur, op de middelbare school een studierichting met veel wiskunde, zijn lievelingsvak, waar hij ook toen nog steeds in uitblonk.

Met asociaal gedrag loopt het meestal hetzelfde. Als een leerkracht bij een leerling heel wat asociaal gedrag rapporteert, dan is de kans groot dat een andere leerkracht een paar jaar later opnieuw meer asociaal gedrag zal rapporteren dan bij een doorsneeleerling. En net die kinderen lopen een grotere kans dat ze op nog latere leeftijd ernstiger vormen van asociaal gedrag zullen ontwikkelen. Laten we eens even kijken naar de dikke vrienden Rik en Jeroen, die dat alvast bevestigen.

De buurjongetjes Rik en Jeroen zijn inmiddels zes, en al van toen ze peuters waren gezworen kameraden. Qua karakter verschillen ze behoorlijk van elkaar, maar misschien zijn ze juist daarom zo dik bevriend? Hoe dan ook, Jeroen was als peuter al een vrolijk en speels kind, en vrij gemakkelijk in de omgang. Hij verdedigde zijn speelterrein indien nodig weleens met wat trekken, duwen en soms een behoorlijk overdreven huilbui, maar echt in de aanval gaan deed hij zelden. Zijn vriendje Rik daarentegen kon als peuter af en toe razend worden, en schrok er dan niet voor terug zijn vuistjes te gebruiken. Meermaals stond hij te stampvoeten van woede. Nu ze allebei zes zijn, is duidelijk te merken dat de moeilijke kanten van Jeroen en Rik flink zijn 'bijgeschaafd'. Bij Jeroen is er helemaal geen sprake van agressie. De zeldzame keren dat hij echt kwaad is,schreeuwt hij even het hele huis bij elkaar, maar daar blijft het bij. Hij is een gelijkmatige jongen die altijd bereid is tot onderhandelen. Hoewel Rik ook een stuk rustiger is geworden, heeft hij het nog steeds moeilijker dan Jeroen om zijn woede te controleren. Stampvoeten doet hij niet meer, en hij probeert conflicten in eerste instantie verbaal op te lossen, maar helaas monden dergelijke discussies soms toch nog uit in vechtpartijen.

Moeilijk gedrag: een lange loopbaan of een interimperiode?

Als je met bepaalde klachten naar je huisarts gaat, zal hij of zij je gegarandeerd vragen hoe lang je al last hebt, en wanneer de pijn of het ongemak precies is begonnen. Eigenlijk kunnen we op een vergelijkbare manier naar asociaal gedrag kijken. Wanneer is je kind zo moeilijk gaan doen? Hoe is dat gedrag geëvolueerd? Moeten we ingrijpen?

Het zijn ongetwijfeld vragen die je je stelt. Het ontwikkelingsverloop van dat onhandelbare gedrag bij je kind kan in veel gevallen verduidelijken hoe ernstig het nu precies gesteld is met je kind, en of je beter hulp kunt gaan zoeken. In dit deel nemen we niet zozeer het asociaal gedrag, maar de personen die asociaal gedrag vertonen onder de loep.

De 'Dunedinstudie' is hier absoluut het vermelden waard. Dunedin is een stad in Nieuw-Zeeland. Alle kinderen geboren tussen 1 april 1972 en 31 maart 1973 werden uitgenodigd om deel te nemen aan een wetenschappelijk onderzoek. Nog steeds worden 1037 personen gevolgd en kosten noch inspanningen worden gespaard om telkens opnieuw gegevens te verzamelen. In dit onderzoek werd aangetoond dat er ruwweg twee categorieën of ontwikkelingspatronen bestaan bij personen die moeilijk gedrag vertonen. De twee groepen blijken heel grondig van elkaar te verschillen, zowel wat het gedrag zelf betreft, als de ontwikkelingsgeschiedenis, het verloop, de ernst, de verhouding jongens/meisjes en de verdere toekomstperspectieven...

▸▸ *1STE CATEGORIE: VROEGE STARTERS*

Het verhaal van Koen is treffend en bevestigt de resultaten van de Dunedinstudie.

Enkele weken geleden werd Koen (16) na jaren van steeds erger wordende gedragsproblemen opgenomen in een instelling voor bijzondere jeugdzorg. Een terugblik leert dat de problemen van Koen eigenlijk al op heel jonge leeftijd begonnen... Zijn ouders zijn twee hardwerkende zakenlui die zeer veel van hun zoon houden. Vanaf het prille begin wilden zij niets liever dan zoveel mogelijk 'quality time' *met hem doorbrengen. Helaas was er van* 'quality time' *zelden of nooit sprake, niet voor Koen, en al helemaal niet voor zijn ouders. Al vanaf de peutertijd bepaalde hij het volledige reilen en zeilen van het gezin en gedroeg hij zich, als hij maar even vermoedde zijn zinnetje niet te zullen krijgen, als een kleine tiran. Vooral het naar bed gaan was telkens een proble-*

matische aangelegenheid. Mama kondigde het moment van slapengaan meestal al een minuut of tien van tevoren aan, maar dat maakte op Koen geen indruk. Hij leek niets te horen en ging onverstoord met zijn bezigheden verder, meestal televisiekijken. Na een minuut of tien – mama hield rekening met de eindtijd van Koens lievelingsprogramma's – zei mama tegen Koen dat het tijd was om naar boven te gaan. Dat had echter elke avond opnieuw het omgekeerde effect, want in plaats van rustig mee naar boven te gaan, creëerde Koen een gigantische scène. Eerst vroeg mama hem een paar keer om op te staan en met haar mee te gaan, maar Koen bleef hoofdschuddend zitten waar hij zat. Als mama hem vervolgens overeind wilde trekken, begon hij te roepen en te huilen en verzette hij zich hevig. Als mama hem dan maar wilde optillen om hem zelf naar boven te dragen, deinsde hij er niet voor terug om wild om zich heen te schoppen, waarbij hij zijn moeder behoorlijk pijn deed, en ondertussen krijste hij ook moord en brand. Alleen al omdat Koen stilletjes aan te zwaar werd, kreeg mama haar zoon dus niet in bed, en moest papa eraan te pas komen, die echter niet altijd thuis was 's avonds. Bovendien verzette Koen zich ook hevig tegen zijn vader, en leek het in bed leggen van Koen steeds meer op een echte vechtpartij, iets waar beide ouders zich erg slecht bij voelden. Dus begon Koen steeds vaker op de vloer voor de televisie in slaap te vallen, waarna papa hem slapend naar zijn bed droeg. Koen vertoonde in die periode nog ander moeilijk gedrag. Hij kon niet langer dan een minuut of drie alleen spelen en zat zelden eventjes rustig aan tafel. Eigenlijk hadden zijn ouders geen enkele vorm van gezag over Koen. Lange tijd dachten en hoopten ze dat het wel zou verbeteren als hij eenmaal naar school kon, maar niets bleek minder waar. Koen had geen vriendjes, maar maakte voortdurend ruzie met zijn leeftijdsgenootjes. Op de speelplaats schopte hij er maar op los als hij zijn zin niet kreeg. Hij was in de klas ook erg ongehoorzaam en dreef zijn juf tot wanhoop omdat hij haar zo goed als nooit gehoorzaamde. In de daaropvolgende jaren werden de leer- en gedragsproblemen van Koen alleen maar erger. Nu Koen is opgenomen, hopen zijn radeloze ouders wat rust te vinden, maar ook de juiste begeleiding om Koen alsnog op het goede spoor te krijgen.

Ingrijpen was hier absoluut noodzakelijk, dat beseften zijn ouders wellicht nog net op tijd. De kansen in onze maatschappij voor een onhandelbare puber als Koen zijn immers bijzonder beperkt...

Uit de Dunedinstudie blijkt dat personen die asociaal gedrag vertonen in twee categorieën kunnen worden onderverdeeld. De eerste categorie worden de 'vroege starters' genoemd. Het gaat om kinderen die al op vrij jonge leeftijd asociaal gedrag vertonen, en onder het motto 'jong geleerd is oud gedaan', dat ook blijven doen als ze ouder worden. Dat betekent dat ze al in het begin van de adolescentie delicten plegen, dat ze dus ook wat dat betreft vroege starters zijn. Uit de Dunedinstudie blijkt duidelijk dat kinderen die op driejarige leeftijd impulsief, rusteloos en snel afgeleid zijn, op hun eenentwintigste vaker lijden aan een asociale persoonlijkheidsstoornis en vaker delicten begaan dan leeftijdsgenoten die op driejarige leeftijd geen gedragsproblemen vertoonden. Een asociale persoonlijkheidsstoornis is een psychiatrische diagnose die wordt gekenmerkt door grensovertredend gedrag, en door het herhaaldelijk gestraft worden voor verschillende delicten. Niet alleen de Dunedinstudie, maar ook ander onderzoek bevestigt dat kinderen die op jonge leeftijd asociaal gedrag vertonen minder toekomstkansen hebben. Ze lopen meer risico om te falen op school, ze hebben een verhoogde kans op gezondheidsproblemen, ze zijn vaker afhankelijk van drugs en alcohol, ze wisselen vaker van baan, ze zijn vaker afhankelijk van sociale voorzieningen, en ze zijn vaker betrokken bij gewelddadige misdaden. Dat toont aan dat gewelddadig gedrag op volwassen leeftijd niet als een soort donderslag bij heldere hemel komt, want gewelddadige individuen vertoonden bijna altijd als kind al asociaal gedrag. De 'jonge beginners' hebben vaak een iets moeilijker temperament en komen vaker voor in gezinnen waar de opvoeding niet optimaal verloopt. Onderzoek toont dat genetische factoren een belangrijke rol spelen.

Zo zijn 'vroege starters' beduidend minder gevoelig voor stress. Dat betekent dat deze kinderen minder snel schrikken en zich sneller vervelen. Wellicht zoeken ze daardoor vaker uitdagende en spannende situaties op. Ook is gebleken dat hun hartslag in rust lager is en dat ze minder transpireren dan kinderen die geen probleemgedrag stellen op dezelfde leeftijd. Die inzichten zijn nog vrij nieuw, maar bieden alvast perspectief om interventieprogramma's nog beter af te stemmen op de kindkenmerken.

Typerend voor deze vroege starters is dat niet één bepaalde risicofactor aanwezig is, maar dat het gaat om een combinatie van meerdere risicofactoren. Het is die combinatie die ervoor zorgt dat iemand op het verkeerde pad raakt en er ook op blijft. Tot deze categorie behoren tien keer meer jongens dan meisjes. Het valt op dat deze kinderen een soort vast parcours afleggen. Als we later hun fotoalbum openslaan, zou het verhaal ongeveer zo kunnen luiden: toen hij drie was, had hij al moeite met gehoorzamen; toen hij zes was, doken de eerste leerproblemen op; op zijn zevende was hij al vaak betrokken bij vechtpartijen op school; toen hij tien was, had hij alleen maar stoere vriendjes en werd hij zelf vaak getreiterd en uitgedaagd; en toen hij eenmaal naar de middelbare school ging, waren alleen roken, uitgaan en op straat hangen nog belangrijk.

Het voor het eerst naar school gaan is voor deze kinderen en hun ouders vaak een cruciale periode. Dikwijls worden de ouders van deze kinderen zich via juf, meester of zelfs andere ouders pas echt bewust dat er iets aan de hand is met hun kind. Het zijn die kinderen van wie men uit verschillende bronnen al vroeg verneemt dat er 'iets' mis is. Vaak zetten ze de kleuterklas zo op stelten dat het de school is die aan de alarmbel trekt.

▸▸ 2DE CATEGORIE: LAATBLOEIERS

Annelies is veertien, en haar moeder kan bijna niet geloven dat deze weerbarstige tiener ooit haar schattige dochtertje met blond engelenhaar was. Tot voor kort was Annelies de perfecte dochter. Ze haalde goede resultaten op school, ze was lief en vriendelijk voor haar omgeving, trok er graag op uit met vriendinnen, maar kwam ook graag weer thuis. Kortom, een dochter om trots op te zijn. Sinds vorig jaar is Annelies echter erg veranderd. Al maandenlang weigert Annelies om ook maar iets anders te dragen dan zwart. Ze heeft haar haar pikzwart geverfd en gebruikt extreem veel zwarte make-up. Ze heeft al haar vroegere vriendinnen ingeruild voor een vriendenkring die zich ook alleen in het zwart uitdost, en hangt met hen rond bij bushaltes en in het plaatselijke winkelcentrum. Hoewel haar ouders wel min of meer rekening hielden met een eventueel heftige puberteit, maken ze zich de laatste tijd toch wel grote zorgen om hun dochter. Praten met Annelies is compleet onmogelijk geworden: Annelies ontwijkt haar ouders zoveel mogelijk. Als Annelies' moeder een vertrouwelijke sfeer probeert te scheppen, blijft Annelies urenlang hardnekkig zwijgen of maakt ze zich na een paar brutale opmerkingen uit de voeten. Haar schoolresultaten zijn inmiddels naar een absoluut dieptepunt gedaald, ze spendeert al haar zakgeld aan sigaretten, en een vroeger vriendinnetje kwam melden dat Annelies regelmatig met drugs experimenteert.

Hoe moeilijk en lastig het gedrag van kinderen als Annelies ook mag zijn, voor deze categorie van 'laatbloeiers' ziet de toekomst er vaak niet zo onheilspellend uit! In deze categorie zitten immers de jongeren die pas tijdens hun puberteit moeilijk gedrag zijn gaan vertonen, en vaak is dat van voorbijgaande aard. Dat dit ergerlijke, onhandelbare gedrag uiteindelijk – ja, het lijkt soms wel een eeuwigheid! – ook weer verdwijnt, zal voor veel ouders ongetwijfeld een grote troost zijn! De adolescenten uit deze groep willen vooral grenzen verleggen, stoer doen en hebben er alles voor over om 'erbij' te horen. Alcohol gebruiken, roken en zelfs experimenteren met drugs kunnen daarbij horen. Uit onderzoek blijkt overigens ook dat de risicofactoren die bij de eerste groep teruggevonden worden, in mindere mate of niet aanwezig zijn bij de late starters. Misschien is het probleemgedrag van de jongeren uit deze categorie nog het best te beschouwen als een sociaal fenomeen, in die zin dat dergelijk gedrag tijdens de tienerjaren vaak voorkomt. Tijdens de adolescentiejaren verloopt de biologische en de sociale rijping van de jongeren nu eenmaal niet even snel, en dat heeft zo zijn 'vreemde' en soms zelfs 'negatieve' gevolgen. Eigenlijk zou je hen kunnen zien als de experimenterenden, terwijl de personen uit de eerste groep eerder de dealers zijn. Zij hebben uiteindelijk veel meer lef en hebben nóg grotere uitdagingen nodig.

De adolescenten in de tweede groep vertonen veel minder extreem probleemgedrag en hebben ook een gunstiger prognose. Zij hebben immers tijdens hun kinderjaren meestal voldoende sociaal gewenst gedrag verworven waarop ze kunnen terugvallen. Deze groep groeit meestal door die moeilijke periode en valt dan terug op die oude verworvenheden, terwijl de eerste groep, die hoofdzakelijk leerde om met agressie iets te bereiken of te verkrijgen, dat ook zal blijven doen. In tegenstelling tot de vroege starters behoren tot deze groep slechts anderhalf keer meer jongens dan meisjes.

Drie ontwikkelingspaden

Een glazen bol waarin we kunnen zien welke kinderen van vandaag later als volwassen criminelen door het leven zullen gaan, bestaat – helaas of gelukkig? – niet. Van geen enkel kind is op geen enkel moment te voorspellen of het al dan niet delinquent wordt. Maar dat neemt niet weg dat het heel belangrijk is om er vroeg bij te zijn als er aanwijzingen zijn dat het zou kunnen mislopen. Niet alle moeilijke kleuters worden grote criminelen, maar het is wel een feit dat zo goed als alle grote criminelen vroeger moeilijke kleuters waren!

De wetenschapper Loeber en zijn collega's toonden in een grootschalig onderzoek bij Amerikaanse jongens uit Pittsburgh aan dat er drie ontwikkelingspaden onderscheiden kunnen worden. In figuur 3 worden die ontwikkelingspaden samengevat en voorgesteld. Elk pad bestaat uit verschillende stappen of fasen. Kenmerkend voor ieder ontwikkelingspad is het vaste patroon waarbij asociaal gedrag steeds evolueert van kwaad naar erger. De piramide geeft aan dat veel jongeren op jonge leeftijd lichtere vormen van asociaal gedrag vertonen en dat het aantal vermindert naarmate de leeftijd toeneemt en het gedrag ernstiger wordt. Maar de jongens die in de laatste fase (stap) van dit ontwikkelingspad zitten, hebben ook alle vorige stappen gezet. Dat illustreert nogmaals dat asociaal gedrag erg stabiel is!

Het eerste pad wordt omschreven als 'conflicten met autoriteitspersonen'. Jongens die dit pad bewandelen, vertonen in een eerste fase vooral halsstarrig en weerspannig gedrag. Dat gedrag begint voor de leeftijd van 12 jaar. Na verloop van tijd worden deze jongens echter zeer ongehoorzaam, tarten ze steeds meer andere personen, en verzetten ze zich ook steeds meer ten opzichte van hun ouders en leerkrachten. Uiteindelijk, in een derde fase, vermijden deze jongens al op jonge leeftijd elke vorm van controle door 'oversten'. Deze jongens spijbelen, blijven van huis weg en hangen voortdurend op straat rond. Ze slagen er niet in respect te ontwikkelen voor gezagsfiguren.

Hetzelfde scenario speelt zich af binnen het tweede ontwikkelingspad van 'openlijk probleemgedrag'. In een eerste stap vertonen deze jongens minder ernstig asociaal gedrag zoals pesten en treiteren (een slachtoffer aanhoudend plagen, uitdagen, belachelijk maken). In de tweede stap is er sprake van fysiek vechten en in de derde stap schrikken deze jongens er niet voor terug om gewelddelicten te plegen (beroven en verkrachten). Deze jongeren slagen er niet in om conflicten op een constructieve manier op te lossen.

In het derde ontwikkelingspad, dat van de 'verborgen probleemgedragingen', gaat het in een eerste stap om frequent liegen of het plegen van winkeldiefstallen. In de tweede stap is sprake van vandalisme, brandstichting, kortom beschadiging van eigendommen. In een derde stap plegen deze jongens ernstige diefstallen. Deze jongeren slagen er niet in om respect voor de eigendommen van anderen te ontwikkelen.

Sommige jongeren evolueren op meer dan één ontwikkelingspad. De piramide geeft aan dat niet alle kinderen die het gedrag van de eerste fase vertonen, ook de volgende fasen doorlopen. Er vallen er onderweg heel wat af, zodat niet iedereen in de derde fase belandt. De brede basis symboliseert de verzameling van alle jongens die op jonge leeftijd moeilijk gedrag vertonen. Met het ouder worden vermindert hun aantal en wordt de piramide dus smaller. In de top van de piramide blijven de ergste delinquenten over. Jawel, zij die er dus in die brede basis ook al bij waren! Het belang om als ouder alert te zijn, en vroegtijdig hulp te zoeken, kunnen we niet genoeg benadrukken.

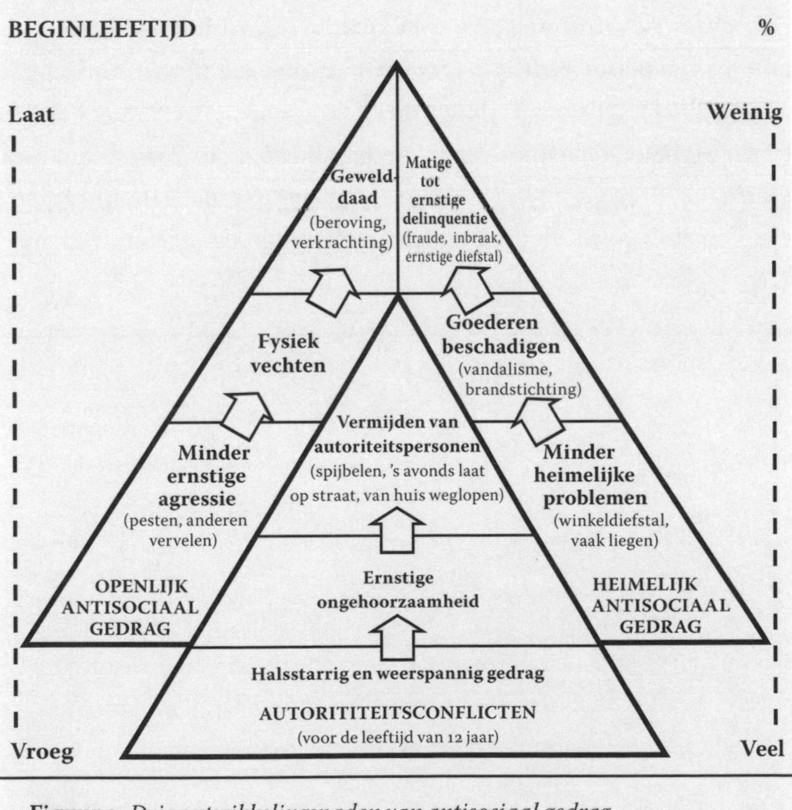

Figuur 3. *Drie ontwikkelingspaden van antisociaal gedrag (Loeber et al., 1993)*

Zijn jongens nu echt moeilijker dan meisjes?

We haalden het al aan in hoofdstuk één: jongens vechten met hun vuisten, meisjes vechten met hun tong. In elk geval worden jongens door de meeste mensen ervaren als 'wilder' en 'heftiger', en meisjes als 'rustiger'. Uit figuur 4 blijkt inderdaad dat er al op de leeftijd van vier jaar bij jongens meer asociaal gedrag voorkomt dan bij meisjes. Dat klopt alvast met het algemene beeld dat de meeste mensen van jongens en meisjes hebben.

Maar wat vertelt de curve ons nog meer? Jongens starten wel op een hoger niveau dan meisjes, maar ze volgen een parallel patroon. Of met andere woorden: het verschil dat er duidelijk tussen jongens en meisjes is, wordt niet groter of kleiner, maar blijft gelijk. De evolutie van asociaal gedrag bij jongens en meisjes tussen hun vierde en negende levensjaar verloopt dus gelijkwaardig, ondanks het van elkaar afwijkende beginniveau. Vandaar dus dat de groeicurven voor asociaal gedrag voor jongens en meisjes een parallel beloop kennen. Het verschil wordt met het ouder worden dus niet groter of kleiner.

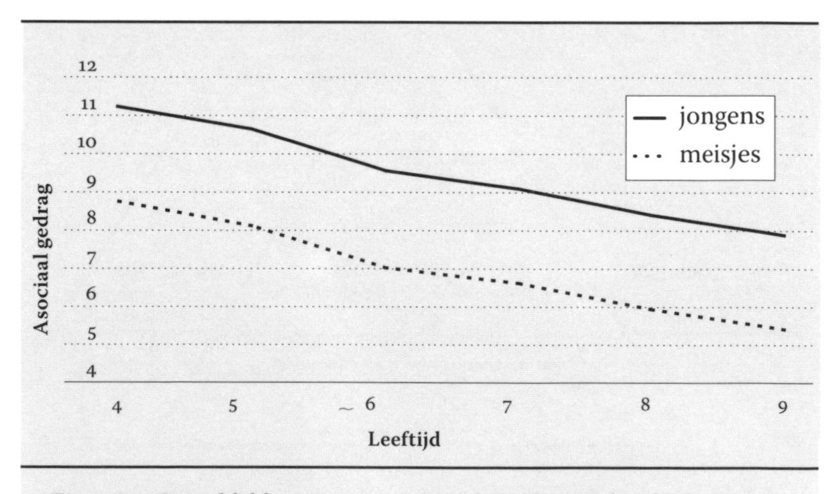

Figuur 4. *Gemiddelde scores voor asociaal probleemgedrag bij jongens en meisjes van 4 tot en met 9 jaar (moederrapporteringen)*

Het verband dat gemeten kan worden tussen oorzaken voor asociaal gedrag op driejarige leeftijd en delinquent gedrag van vrienden en leeftijdsgenoten tijdens de adolescentie, verschilt overigens ook niet voor meisjes en jongens. De Dunedinstudie toont aan dat dezelfde oorzaken in het spel zijn voor jongens en meisjes.

We illustreren de verschillen tussen jongens en meisjes met cijfermateriaal uit het onderzoek naar opvoeding en gedragsproblemen. Als we kijken naar de grafieken 'stoer doen' en 'vecht veel', zien we bijvoorbeeld dat moeders vaker bij jongetjes dan bij meisjes rappor-

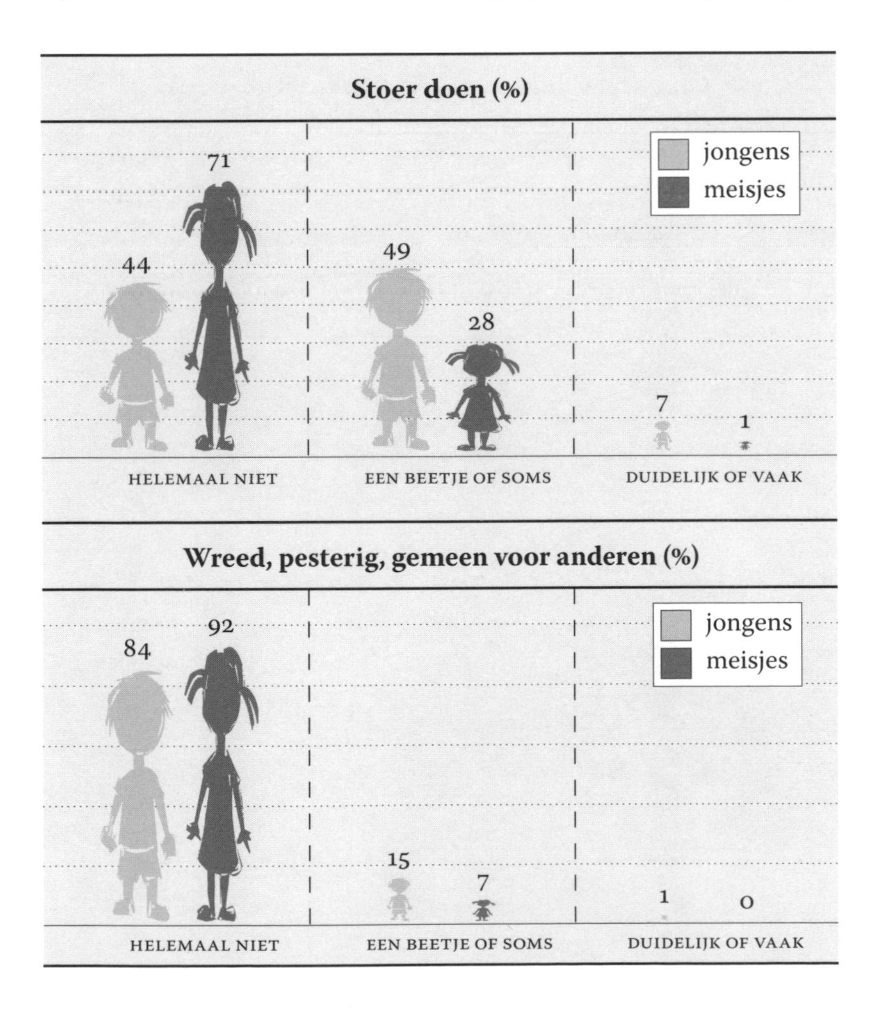

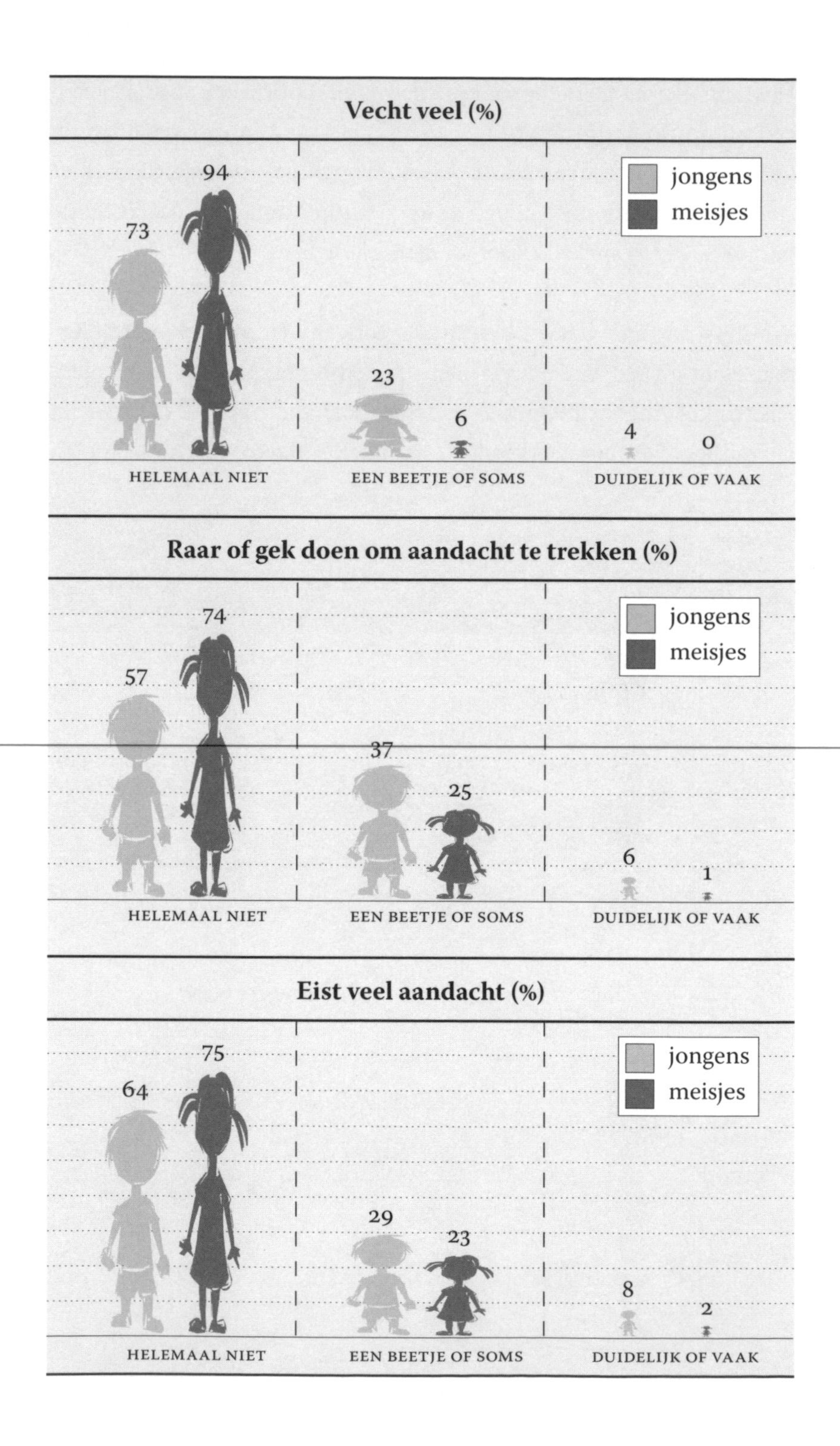
Vecht veel (%)
jongens
meisjes
94
73
23
6
4
0
HELEMAAL NIET
EEN BEETJE OF SOMS
DUIDELIJK OF VAAK
Raar of gek doen om aandacht te trekken (%)
jongens
meisjes
74
57
37
25
6
1
HELEMAAL NIET
EEN BEETJE OF SOMS
DUIDELIJK OF VAAK
Eist veel aandacht (%)
jongens
meisjes
75
64
29
23
8
2
HELEMAAL NIET
EEN BEETJE OF SOMS
DUIDELIJK OF VAAK

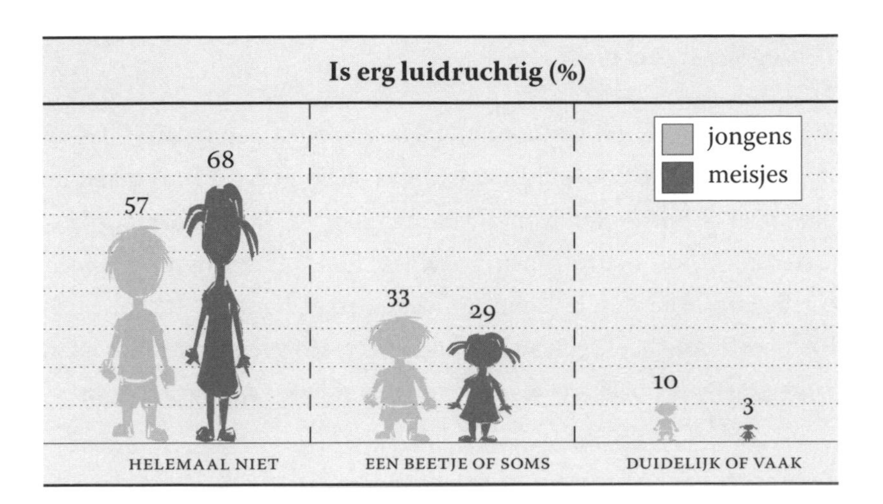

teren dat 'stoer doen' en 'vecht veel' een beetje of soms, of vaak van toepassing zijn.

Maar hoe komt het nu dat jongetjes op deze leeftijd zo verschillen van meisjes? En waarom uiten vierjarige jongens zich beduidend agressiever dan vierjarige meisjes?

Alweer taal als oorzaak...

Dat jongetjes agressiever zijn dan meisjes heeft eveneens te maken met verschillen in de taalontwikkeling bij meisjes en jongens. We zagen eerder in dit hoofdstuk al dat de vorderende taalontwikkeling ervoor zorgt dat probleemgedrag afneemt. Maar taalvaardigheid ontwikkelt zich bij meisjes gemiddeld genomen vroeger dan bij jongens, wat dus meteen verklaart waarom jongens langer blijven steken in fysieke agressie. De taalontwikkelingsvoorsprong van meisjes zorgt er dus voor dat ze qua asociaal probleemgedrag de 'landing' vroeger inzetten dan jongens.

Biologische factoren

Maar ook een aantal biologische factoren speelt een belangrijke rol in het ontstaan en voortbestaan van asociaal gedrag. Boven aan de lijst staan de hormonen (vooral het mannelijk geslachtshormoon testosteron) en de neurotransmitters (serotonine). Serotonine speelt een belangrijke rol in de communicatie tussen hersen- en zenuwcellen. Serotonine heeft een kalmerend effect. Hoge concentraties gaan samen met een hoger welbevinden en met minder asociaal gedrag.

Interactiepatronen en omgangsvormen

Ook de manier waarop jongens en meisjes met elkaar omgaan verschilt heel grondig van elkaar. Jongetjes gebruiken in hun contacten met leeftijdsgenoten meer fysieke kracht en zijn sneller geneigd om conflicten uit te vechten. Je hoeft maar een blik te werpen op het eerste het beste schoolplein of in de speeltuin om de hoek, om dat met eigen ogen vast te stellen. Groepen jongens die met elkaar omgaan zijn sterk gericht op wie de leiding heeft, en op competitie. Meisjes hebben veel meer behoefte aan samenhorigheid. Ze praten vaker dingen uit en lossen problemen vaker op door te onderhandelen, wat een verdere escalatie van de conflicten voorkomt.

Jongen/meisje, man/vrouw: vaste patronen

Er is ten slotte nog een andere belangrijke reden die het verschil in asociaal gedrag bij jongens en meisjes kan verklaren. Of we het nu toegeven of niet, ons ervan bewust zijn of niet, gewild of ongewild gaan wij als ouders of als leerkracht met meisjes anders om dan met jongetjes. Dat verschil in omgang kan bijdragen tot het ontstaan van verschillen in asociaal gedrag. Denk maar even aan hoe snel tegen jongetjes wordt gezegd dat ze niet flauw mogen zijn als ze huilen, terwijl dat van meisjes nog altijd heel gewoon wordt gevonden.

Als Tibo struikelt over een steen en valt, zal hij, als hij bij mama komt uithuilen, waarschijnlijk te horen krijgen dat hij 'al een grote jongen is' en dat hij 'tegen een stootje' moet kunnen en stoer moet zijn. Als Sofie hetzelfde meemaakt, zal ze wellicht intenser getroost worden door haar ouders, en misschien zelfs aangesproken worden met 'kom eens hier, mijn kleine meisje'.

Rolbevestigende gedragingen worden voortdurend gestimuleerd en zorgen voor een 'voortbestaan', want problemen worden inderdaad vaak in een bepaalde richting gekanaliseerd. Onderzoek heeft uitgewezen dat dat bij 'probleemmeisjes' vaker leidt tot probleemgedrag dat meer 'naar binnen gericht is'. Het gaat dan over het vaak last hebben van hoofdpijn of buikpijn, slaapproblemen, angst of verlegenheid. Bij 'probleemjongetjes' is de kans groter op probleemgedrag dat meer naar buiten, naar anderen gericht is. Denk daarbij maar aan vechten, aandacht opeisen, tegenspreken of driftig zijn...

Jongens wordt nu eenmaal verteld dat ze stoer en sterk (moeten) zijn, meisjes worden sneller meelijwekkend gevonden en getroost. Zo worden bepaalde reacties uiteraard aangeleerd en versterkt, zoals we ook in het volgende hoofdstuk nog uitgebreid zullen zien.

Daar komt nog eens bij dat de meeste ouders hun kinderen stimuleren in rolbevestigende spelletjes. Meisjes krijgen vaker poppen aangereikt, jongens 'moeten' wel van auto's en geweren houden.

Wat hebben we in dit hoofdstuk geleerd?

- Asociaal gedrag bij kinderen wordt opvallend minder vanaf de kleuterleeftijd.
- Er bestaan vroege en late starters.
- Drie ontwikkelingspaden kunnen onderscheiden worden.
- Jongens vertonen meer asociaal gedrag dan meisjes, maar de twee kennen een parallel beloop.
- Asociaal gedrag is zeer stabiel. Bovendien hebben kinderen die al op jonge leeftijd relatief frequent asociaal gedrag vertonen, meer kans om ernstiger asociaal gedrag te gaan vertonen als ze ouder zijn dan kinderen die op jonge leeftijd weinig asociaal gedrag vertonen.

III •• HOE KINDEREN AL DANSEND HUN OUDERS STRIKKEN: HET BELANG VAN OPVOEDING

Nu je uit de vorige hoofdstukken hebt begrepen wat asociaal gedrag is, en hoe het evolueert, ben je wellicht ook benieuwd waar dat specifieke gedrag nu precies vandaan komt. Ongetwijfeld komt er meteen een hele reeks mogelijke oorzaken in je op. Misschien wijt je het moeilijke gedrag van je kind wel aan wrede beelden en gewelddadige films op televisie. Je kijkt er waarschijnlijk ook niet vreemd van op dat een kind dat jarenlang wordt mishandeld door zijn vader, zelf ook bijzonder agressief blijkt te zijn. De appel valt immers niet ver van de boom! Je collega is er op zijn beurt misschien van overtuigd dat mensen steeds agressiever worden omdat we tegenwoordig allemaal zo dicht op elkaar wonen. Ook in de wetenschappelijke literatuur bestaat er een overvloed aan allerlei onderzoeken naar factoren die in verband kunnen worden gebracht met probleemgedrag. Wetenschappers Dishion, French en Patterson brachten alle factoren die in onderzoek aan bod kwamen samen in één figuur. Als je figuur 1 bekijkt, valt meteen op dat er verschillende niveaus te onderscheiden zijn. In het centrum van de figuur werden de factoren verzameld die in het kind of in het individu te situeren zijn. Ze worden de intrapersoonlijke factoren genoemd. Het geslacht en biologische factoren, die we in het vorige hoofdstuk aanhaalden, vallen onder die intrapersoonlijke factoren. Vervolgens worden alle factoren samengebracht die in de directe omgeving van een kind terug te vinden zijn. Contacten met leeftijdsgenoten vallen hieronder, maar ook de opvoeding van het kind, of zijn relatie met broer(s) en/of zus(sen). Nog wat verder van het kind vandaan vinden we dan de omgevingsfactoren. De school en de buurt waarin een kind opgroeit zijn de meest voor de hand liggende voorbeelden. In de buitenste rand ten slotte vinden we de factoren uit de 'ruimere maatschappij'. Een voorbeeld daarvan is de cultuur waarin een kind opgroeit. Kleine David, die in Israël opgroeit, denkt heel anders over vrede en oorlog dan Thijs en Joost, die in Vlaanderen en Nederland wonen. Het bijzondere aan deze figuur is, dat hoe centraler de factoren in de figuur worden voorgesteld, hoe directer ze invloed hebben op het gedrag van een kind. De factoren die de grootste en meest directe impact hebben, staan dus het dichtst bij het kind.

Als je het schema even bestudeert, zul je bijvoorbeeld merken dat 'televisie' (massamedia) in het schema voorkomt, maar misschien minder dicht bij het kind dan je zou verwachten. Toch is dat perfect te verklaren. Sommige kinderen mogen van hun ouders nogal vrij met de televisie omspringen, kijken om het even wanneer, en krijgen zo dus ook heel wat geweld voor de kiezen. Bij andere kinderen houden de ouders een oogje in het zeil. Daar bepalen de ouders (mee) welke

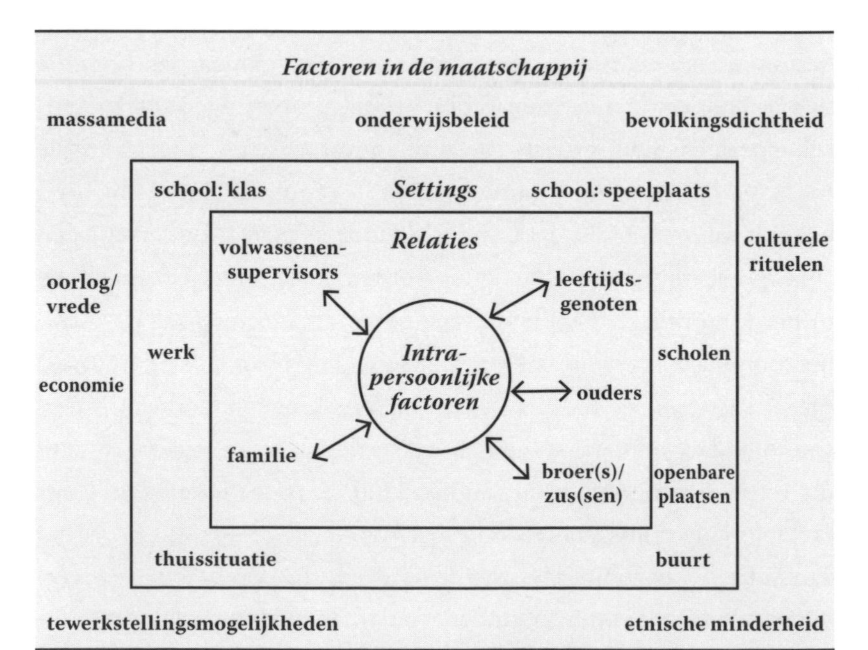

Figuur 1. *Factoren die in verband gebracht kunnen worden met asociaal gedrag (naar Dishion, French en Patterson, 1995, p. 429)*

programma's de kinderen mogen bekijken, en ze beperken ook de tijd die hun kinderen televisiekijkend doorbrengen. Het spreekt vanzelf dat de directe impact van televisie voor deze kinderen veel kleiner tot misschien zelfs onbestaand is. De mate waarin de televisie invloed kan uitoefenen, wordt dus voor een deel mee bepaald door de opvoeding.

Asociaal gedrag verklaren is niet zo evident, want het wordt zelden door slechts een of twee risicofactoren veroorzaakt. In probleemgezinnen neemt de kans op ontwikkeling van asociaal gedrag bij kinderen exponentieel toe, omdat het effect van meerdere risicofactoren nu eenmaal veel groter is dan de som van de afzonderlijke risicofactoren. Eén en één is in probleemgezinnen niet altijd twee, omdat het ene probleem vaak een hele reeks andere problemen met zich meebrengt, en het hele gezinsfunctioneren uiteindelijk wordt ontwricht. Een kind met een biologische aanleg voor asociaal gedrag bijvoorbeeld, dat ook nog eens te maken krijgt met verwaarlozing door zijn weinig betrokken ouders, zakt al snel in een moeras waar het maar heel moeilijk uitkomt.

In dit boek focussen wij vooral op de belangrijkste centrale factoren: de opvoeding en de factoren die in het kind of de ouder zijn gesitueerd. Opvoeding is in elk geval een factor die heel wat stof biedt en inderdaad heel dicht bij het kind staat als je het schema nog eens bekijkt. Want hoezeer de bestaande theorieën over asociaal gedrag ook van elkaar verschillen, stuk voor stuk onderstrepen ze het belang van opvoeding.

Wat is opvoeden eigenlijk?

Als de moeder van Henrieke (6) 's ochtends haar dochtertje komt wekken, geeft ze haar meteen een boel 'opdrachten' mee. Als Henrieke opstaat, moet ze haar kleren aantrekken. Dan is het tijd voor een boterham en een beker melk, daarna moet Henrieke helpen met het afruimen van de ontbijttafel. 'Is je boekentas ingepakt, Henrieke?'

vraagt haar moeder vervolgens. 'Dan nu nog je tanden poetsen, jas aan en de auto in!' De moeder van Henrieke heeft 's ochtends al genoeg te doen en verdoet liever niet te veel tijd. Dat Henrieke niet moeilijk doet over al die dingen die 'moeten', is dus mooi meegenomen.

Opvoeden zal hoe dan ook voor een deel neerkomen op enerzijds het aanleren van gewenst gedrag, en anderzijds het afleren van ongewenst gedrag. Als Henrieke 's ochtends vlot meedraait, dan is dat omdat ze dat zo heeft geleerd. Maar als Henrieke elke ochtend opnieuw zou weigeren haar bedje uit te komen, zich niet zelf zou willen aankleden, zou lopen dreinen dat ze geen boterham wil eten en weigeren haar jas aan te doen, dan is dat misschien ook omdat ze dat zo heeft geleerd... Binnen alle interacties tussen ouders en kinderen neemt 'regels opleggen' een belangrijke plaats in, ook al verschilt de manier waarop ouders hun kinderen leren gehoorzamen sterk van gezin tot gezin. Kinderen moeten nu eenmaal leren gehoorzamen. Enige regelmaat en vaste ritueeltjes zijn daarbij flinke stappen in de goede richting.

Michael (4) gaat als zijn ouders dat vragen vlot naar bed. Hij weet immers dat slapengaan ook betekent dat papa nog even een verhaaltje voorleest, en daar is Michael dol op. Na het verhaaltje wordt er nog even lekker geknuffeld. Even later komt mama hem nog een laatste nachtzoen geven en stopt ze hem goed in.

Opvoeden en gehoorzamen zijn onlosmakelijk met elkaar verbonden. Kinderen met moeilijk gedrag die uiteindelijk worden doorverwezen, zijn vaak kinderen die slecht gehoorzamen, die niet kunnen voldoen aan opdrachten, die zich niet houden aan regels en nauwelijks benul hebben van sociale omgangsvormen. De ouders van die kinderen klagen dat hun kind snel boos wordt, tegenspreekt, agressief is, geen huiswerk wil maken, geen karweitjes wil of kan opknappen, niet 'normaal' omgaat met kinderen uit de buurt, liegt of steelt, enzovoort.

Ongehoorzaamheid is bij deze kinderen de directe aanleiding van de vele negatieve interacties met de rest van het gezin. Het is niet zo dat ze constant of de hele dag door storend of asociaal gedrag vertonen. Geen enkel kind luistert 'nooit'. Geen enkel kind is 'altijd' of de klok rond opstandig. De conflictueuze interacties zijn vaak 'kort' en 'plotseling'. Dwingende, eisende gedragingen volgen elkaar echter snel op, en leiden vaak tot bijzonder intense, hoogoplopende interacties. Uit observaties blijkt dat ongehoorzaamheid of opstandig gedrag bij kinderen meestal ontstaat nadat hun ouders hen iets opdragen.

Gedrag versterken = gedrag aanleren

In dit hoofdstuk willen we ons gaan verdiepen in een toonaangevende theorie die bij de verklaring van asociaal gedrag vooral het belang van de opvoeding benadrukt. Maar daarvoor is het van belang dat we eerst goed begrijpen hoe kinderen nu eigenlijk gedrag aanleren, of hoe gedrag bij kinderen 'versterkt' wordt. Want juist dat aspect maakt een belangrijk deel uit van de opvoeding. De 'sociale leertheorie' stelt dat een kind elk gedrag verwerft of 'leert'. Een belangrijk instrument daarbij is de 'positieve bekrachtiging'. Of met andere woorden: door gedrag van je kind te bekrachtigen, te versterken dus, zal het dat gedrag ook aanleren en in principe behouden.

Positief gedrag: belonen!!!

Denk maar eens aan een baby die met zijn allereerste woordjes experimenteert. Als hij voor het eerst min of meer verstaanbaar 'mama', 'papa' of 'kijk' zegt, zal dat ongetwijfeld veel enthousiasme bij zijn toehoorders losmaken. Zijn moeder zal onmiddellijk verheugd reageren, antwoorden of aanmoedigen, en in haar handen klappen. Al die positieve aandacht, en de gezellige sfeer die zijn gebrabbel teweegbrengt, zullen hem stimuleren zijn gedrag te herhalen, nog meer te 'praten' dus. Dit voorbeeld maakt heel kernachtig duidelijk wat positieve bekrachtiging is. Als je op het gedrag van een kind positieve reacties of bekrachtigers, zoals goedkeuring en complimentjes, laat volgen, dan wordt het gedrag van het kind gestimuleerd, versterkt, bekrachtigd. Bekrachtigen betekent letterlijk krachtiger en sterker maken. De manier waarop je op bepaald gedrag reageert is dus van cruciaal belang. En na het lezen van dit boek zul je er nooit meer aan twijfelen dat je bepaald gedrag van je kind wel degelijk kunt versterken.

Negatief gedrag: ook belonen??!

De wenkbrauwen worden na het lezen van dit kopje wellicht even gefronst... Want negatief gedrag ook belonen, dat kan toch niet de bedoeling zijn? Je haalt het als ouder uiteraard niet in je hoofd om het negatieve gedrag van je kind te versterken. Hoewel...

De Amerikaanse psycholoog Gerald Patterson verricht in Oregon (VS) al meer dan veertig jaar onderzoek naar asociaal gedrag. Hij voerde vooral observaties uit bij gezinnen waar het verkeerd liep. Hij vertrekt vanuit een 'leertheoretisch model' en gaat ervan uit dat elk gedrag is aangeleerd. Jawel, élk gedrag, dus ook negatief, storend gedrag. Uit zijn vele observaties concludeerde hij dat de zogenoemde negatieve bekrachtiging de katalysator bij uitstek is voor het ontstaan en het voortbestaan van asociaal gedrag. Maar wat is negatieve bekrachtiging dan precies? Laat je niet misleiden door de term: negatief bekrachtigen heeft niets te maken met straffen! Negatief bekrachtigen is en blijft bekrachtigen, het versterken van gedrag dus. Van negatieve bekrachtiging spreken we als een kind erin slaagt een voor hem lastige situatie te doen ophouden, of als het kan ontsnappen aan vervelende opdrachten.

Laten we om dat te begrijpen eens rond bedtijd een kijkje gaan nemen bij Stefan thuis.

Stefan (6) is een meester in het uitstellen van naar bed gaan. Op allerlei manieren probeert hij onder het slapengaan uit te komen. Dan moet hij nog een keer plassen, dan heeft hij opeens buikpijn, dan heeft hij dorst... Elke keer slaagt hij erin om 'tijd te winnen', waardoor de kans alleen maar groter wordt dat zich hetzelfde scenario zal herhalen de volgende avond. De vorige avond was het hem immers toch ook gelukt?

Veel ouders geven toe aan deze snel uit de hand lopende vorm van dwingend gedrag. Het wegvallen van de opdracht of het verzoek (in dit geval het naar bed gaan) is uiteindelijk de allergrootste beloning voor het kind. Niet dat televisieprogramma waarnaar het wilde blijven kijken of het dringend moeten plassen speelt zo'n grote rol – nee, het gaat hem hier vooral om niet naar bed moeten gaan, om het niet gehoorzamen dus. Als dat lukt, zelfs maar voor heel even, wordt zijn gedrag negatief bekrachtigd. Nu bestaan er een heleboel verschillende manieren waarop dat kan gebeuren, en vaak heb je als ouder niet eens in de gaten dat je ongewenst gedrag van je kind beloont! Van negatieve bekrachtiging is sprake als je iets onaangenaams voor je kind (voor Stefan dus het naar bed moeten) wegneemt als reactie op het protest dat je kind door zijn gedrag uitschreeuwde. Dat zal al heel snel leiden tot geraffineerd ontsnappingsgedrag van je kind.

In sommige gevallen gaat 'de beloning' echter nog verder. Als een jong kind een opdracht weigert, zich op de grond laat vallen en met zijn hoofd op de grond begint te bonken bijvoorbeeld, zal zijn moeder, uit angst dat haar kind zich ernstig zal bezeren, haar kind wellicht optillen, kalmeren en troosten. Zo wordt het negatieve gedrag van woede en zelfverwonding van het kind niet alleen negatief beloond (de opdracht kunnen ontlopen), maar ook nog eens positief (aandacht krijgen en getroost worden). Het is juist die dubbele bekrachtiging van moeilijk gedrag die ervoor zorgt dat kinderen dergelijk gedrag gemakkelijk aanleren, en dat heeft zo zijn gevolgen voor de toekomst.

Positief bekrachtigen/negatief bekrachtigen

Om het verschil tussen de beide vormen van bekrachtiging (positief en negatief) nogmaals te verduidelijken, nemen we nog even een kijkje bij de gezinnen van Jan en Emma.

Jan (5) zeurt bij het boodschappen doen zijn vader de oren van het hoofd om een snoepje. Papa wil zich vooral concentreren op de boodschappen en wil niets liever dan dat Jan rustig naast het boodschappenwagentje loopt. 'Nee Jan, je mag geen snoepje', zegt hij beslist. Jan trekt een pruillip, begint expres tegen het boodschappenkarretje aan te lopen en herhaalt zijn verlangen naar een snoepje. 'Nee Jan, nu geen snoepje, en loop gewoon alsjeblieft!' reageert zijn vader. Jan huilt nu harder en roept luid om een snoepje. Zijn vader krijgt het vreselijk op zijn heupen: 'Nee, je krijgt geen snoepje!' Maar Jan geeft zich niet gewonnen, haalt van woede een pak beschuit uit het karretje en gooit het op de grond. Uiteindelijk gaat papa overstag. 'Beloof je dat je je zult gedragen als je een snoepje krijgt?' Jan knikt overtuigend, zijn vader geeft hem het felbegeerde snoepje, en op miraculeuze wijze verandert Jan in een engel.

De ouders van Emma (7) gaan graag uit eten. Minstens één keer in de week zitten ze samen met hun dochtertje ergens in een restaurant. Sinds enige tijd gedraagt Emma zich echter heel erg lastig aan tafel. Het maakt niet uit welk gerecht haar ouders voor haar bestellen (Emma mag overigens zelf meekiezen), als haar bord eenmaal op tafel staat, begint Emma al na één hap te zeuren dat ze het niet lust, geen honger meer heeft, kortom niet meer wil eten. Haar vader en moeder vinden echter dat Emma wel behoorlijk moet eten en proberen haar te overtuigen. Daarop wordt Emma steeds zeurderiger, en binnen de kortste keren zit ze te huilen. De discussie tussen Emma, die weigert nog een hap te eten, en haar ouders, die willen dat ze op zijn minst vijf happen neemt, loopt steeds hoger op. De mensen aan de andere tafeltjes kijken hen allemaal aan terwijl Emma met een rood hoofd van boosheid zit te snikken. Ten einde raad geven haar ouders dan maar toe door het er verder bij te laten. Emma hoeft niets meer te eten en houdt onmiddellijk op met dreinen. De wekelijkse bezoekjes aan het restaurant zijn op deze manier echter absoluut geen pretje meer…

Het is overduidelijk dat de ouders van Emma en de vader van Jan het negatieve gedrag van hun kinderen hebben bekrachtigd, en het zo alleen maar stimuleren. Op het probleemgedrag van Jan volgt een snoepje (positieve bekrachtiging) en op het probleemgedrag van Emma volgt het niet hoeven eten (negatieve bekrachtiging).

Het is in elk geval wel belangrijk te onthouden dat opstandig en moeilijk gedrag van je kind dus niet alleen in stand wordt gehouden door positieve aandacht of bekrachtiging, maar vooral door negatieve bekrachtiging zoals beschreven in de voorbeelden met Jan en Emma. Natuurlijk gaat het niet over die ene keer dat je toegeeft, maar over het zich continu herhalen van dergelijke interacties waarbij je kind 'wint' of aan het langste eind trekt, en dat in de meest uiteenlopende situaties. Wie heeft de controle over wie? Dat is de kernvraag.

Via duizenden interacties krijgt je kind volop de kans te oefenen. Uit observaties blijkt trouwens dat het kind na verloop van tijd ook steeds heviger wordt in zijn reacties, en dat de duur van de conflicten ook gaat toenemen. Eigenlijk komt het neer op een heus trainingsproces: door de voortdurende herhaling krijgt het kind de techniek steeds beter onder de knie.

Gehoorzamen met uitstel, een dubbele beloning

Gehoorzamen of niet gehoorzamen, wat betekent dat nu precies? Ongetwijfeld zal de ongehoorzaamheid van je kind vaak gevolgd worden door een nieuwe waarschuwing van jouw kant, waarop je kind wellicht nog niet gehoorzaamt, waarop je opnieuw waarschuwt, en misschien gaat dreigen, en ga zo maar door. De kans is groot dat je kind uit ervaring heeft geleerd dat al die waarschuwingen van je niet bepaald geloofwaardig zijn. Je herhaalt die waarschuwingen immers toch steeds weer? Een kind leert tijdens dat soort interacties dat de waarschuwingen ongeloofwaardig zijn en zal de opdracht dan ook niet uitvoeren. Hoe meer je aandringt en je verzoek herhaalt, hoe heftiger je kind zich zal verzetten. Het slaagde er de vorige keer toch ook in om de opdracht te vermijden? Al snel beginnen ouders en kinderen in dergelijke situaties steeds harder te praten, ze worden kwaad en opstandig, soms zelfs destructief. Het conflict eindigt soms met straf, soms met naar de kamer sturen, soms zelfs met slaan. Veel effect zullen die maatregelen echter niet hebben, ze werden immers niet onmiddellijk na het eerste ongehoorzame gedrag toegepast. Vaak geven ouders toe en doet het kind niet of maar gedeeltelijk wat hem werd gevraagd. Hoe dan ook slaagt het kind erin om zijn opdracht uit te stellen en kan het dus langer spelen, of doen waar het mee bezig was toen het conflict ontstond. En juist dat is van bijzonder belang! Misschien denk je in deze situatie wel 'gewonnen' te hebben, of ben je ervan overtuigd dat je er toch maar mooi in bent geslaagd om je kind te laten luisteren, maar een volgende keer zal je kind gewoon opnieuw proberen om onder dezelfde opdracht uit te komen. De meeste ouders vinden net dat gedrag heel moeilijk te begrijpen. Waarom blijft hun kind zo moeilijk doen als het weet dat het uiteindelijk toch moet gehoorzamen? Om dat te begrijpen moet je weten dat een kind zich niet bewust is van de totaliteit van alles wat er binnen dergelijke interacties gebeurt. Als volwassene weet je een situatie in te schatten en weet je ook dat je uiteindelijk wel zult slagen in je opzet, maar een kind bekijkt het hele proces stapsgewijs en heeft slechts als doel de opdracht zo lang mogelijk te ontlopen of te vermijden. Elke minuut die een kind kan blijven besteden aan datgene waarmee het bezig was, is gewonnen!

Dat is meteen een verklaring waarom kinderen uiteindelijk meer tijd besteden aan ruziën, tegenspreken en moeilijk doen over de opdracht, dan dat het gekost zou hebben om de opdracht gewoon uit te voeren. Als je het zo bekijkt, wordt tijd rekken zelfs dubbel beloond. Er is de positieve beloning (het kind kan blijven doen waar het mee bezig was), en er is de negatieve beloning (het vermijdt, zij het dan tijdelijk, de opdracht). De straf of de gedwongen gehoorzaamheid waarin het hele gebeuren misschien eindigt, zal weinig of geen invloed hebben op het moeilijke gedrag van het kind, want daarvoor is er al veel te veel tijd voorbijgegaan.

Een dans in vier passen

De moeder van Sabien (8) vraagt Sabien haar stiften en kleurboeken op te ruimen en de tafel te dekken. 'Nee, ik ben nog niet klaar!' antwoordt Sabien en ze kleurt gewoon verder. Een minuut of twee later herhaalt mama haar verzoek: 'Vooruit Sabien, opruimen, we moeten op tijd aan tafel kunnen!' Maar Sabien negeert het verzoek van haar moeder volkomen. Mama vraagt een derde keer om nu meteen alles op te ruimen en de tafel te dekken, waarop Sabien stampvoetend opstaat, kwaad uitroept dat 'zij hier altijd alles moet doen', de deur keihard dichtgooit en naar haar kamer verdwijnt. Sabiens moeder ruimt de spullen dan maar zelf op en dekt de tafel. Als het hele gezin even later aan tafel gaat, komt Sabien gewoon mee-eten en doet ze alsof er niets is gebeurd.

Ook in dit voorbeeld is het duidelijk dat Sabien erin is geslaagd om te ontsnappen aan een opdracht die ze vervelend vond. Het gaat hier opnieuw om een interactie tussen een moeder en een kind die negatief werd bekrachtigd: het gedrag van Sabien, dat eigenlijk ongewenst is, werd immers door haar moeder getolereerd en uiteindelijk hoeft Sabien niet te doen wat er van haar gevraagd wordt.

Aan de hand van vele observaties probeerde Patterson moeilijk gedrag van kinderen als Sabien te beschrijven en te verklaren. De toonaangevende theorie van Patterson bestaat uit twee verschillende niveaus, die onderling nauw verweven zijn. Het eerste niveau is een 'micromodel', waarin Patterson stelt dat alle interacties zoals we die hierboven beschreven, altijd volgens een bepaald patroon verlopen. Conflictueuze interacties zijn opgebouwd uit vier verschillende stappen, die samen als een soort van dans kunnen worden beschouwd. Sabien en haar moeder voerden tijdens het conflict, door het zetten van bepaalde passen die elkaar steeds weer in een vaste volgorde opvolgen, samen een soort dans uit. Vandaar ook dat het micromodel van Patterson ook wel 'de dans in vier passen' wordt genoemd (zie figuur 2).

▸▸ *De eerste pas*

Een eerste pas wordt gezet door de ouder die een bepaalde eis stelt aan zijn of haar kind. In het voorbeeld vraagt de moeder van Sabien aan haar dochter om de tafel te ontruimen. Een eis die ouders aan hun kind stellen, wordt door het kind in kwestie vaak ervaren als 'aversief', waarmee bedoeld wordt dat het kind de eis helemaal niet prettig vindt. Sabien zat nog volop te kleuren toen haar moeder haar vroeg om op te ruimen en de tafel te dekken, en vond dat dus helemaal niet leuk. Hetzelfde geldt trouwens voor andere opdrachten die ouders hun kinderen vaak geven: huiswerk maken, gaan slapen, opruimen, helpen bij een of ander klusje, en nog veel meer dingen die kinderen niet echt leuk vinden.

▸▸ *De tweede pas*

Het is dan ook niet gek dat kinderen in een soort 'tegenaanval' gaan, en dat is dan meteen de tweede pas van de dans. Het kind protesteert en is duidelijk niet van plan te gaan doen wat hem gevraagd wordt. Sabien maakte meteen duidelijk dat ze verder wilde kleuren. Andere mogelijke tegenaanvallen van kinderen tijdens soortgelijke interacties zullen je ook bekend in de oren klinken: 'Ik doe mijn huiswerk straks wel, ik ben nu op de computer aan het spelen' of 'Niemand bij mij in de klas moet zo vroeg naar bed! Ik wil dit televisieprogramma nog zien!' Het hoeft er niet eens altijd zo heftig aan toe te gaan, soms wordt de tweede pas van de dans heel subtiel gezet, met een pruilende lip bijvoorbeeld, of met een smeekbede om toch nog tien minuutjes langer te mogen opblijven. In elk geval hebben al die opmerkingen van kinderen één ding gemeen: ze proberen ermee te ontkomen aan een vervelende vraag of lastige eis van hun ouders.

▸▸ *De derde pas*

In het voorbeeld van Sabien zette de moeder van Sabien een volgende pas toen ze haar eis opgaf, want ze besloot zelf de tafel te dekken. Deze derde pas van de dans is cruciaal! Als ouders hun eis laten vallen of afzwakken, dan bekrachtigen ze het moeilijke gedrag van hun kind. Denk maar even terug aan Jan. Hij 'leerde' in de supermarkt dat hij zijn vader niet vriendelijk om een snoepje moest vragen (want dan krijgt hij er toch geen), maar dat hij juist flink herrie moet schoppen en de supermarkt op stelten moet zetten, want dan krijgt hij wél een snoepje van zijn vader. Als ouders toegeven, volgend op moeilijk gedrag van hun kind, bekrachtigen ze dat moeilijke gedrag.

▸▸ *De vierde pas*

De vierde en laatste pas van de dans wordt ten slotte gezet door het kind dat zijn negatieve gedrag opgeeft, zodra zijn ouders hun eis hebben opgegeven. Er lijkt geen vuiltje meer aan de lucht! Eigenlijk lijkt het bijna een soort van schakelaar die wordt omgezet: zodra Jan zijn snoepje had, verdwenen zijn tranen en werd hij een engelachtige jongen. Toen de moeder van Sabien zelf de tafel ging dekken en haar dochter met rust liet, was Sabien op slag weer rustig en leek alle spanning tijdens het avondeten alweer verdwenen. In beide voorbeelden wordt de negatieve situatie opgeheven. Wat er eigenlijk gebeurt, is dat kinderen op hun beurt het toegeven van hun ouders bekrachtigen! Vandaar ook dat er sprake is van wederzijds dwingend en wederzijds bekrachtigend gedrag. De ouder probeert het kind te dwingen, en het kind probeert zijn ouder te dwingen om toe te geven. Maar ouder en kind bekrachtigen ook het gedrag van elkaar, want aan de ene kant

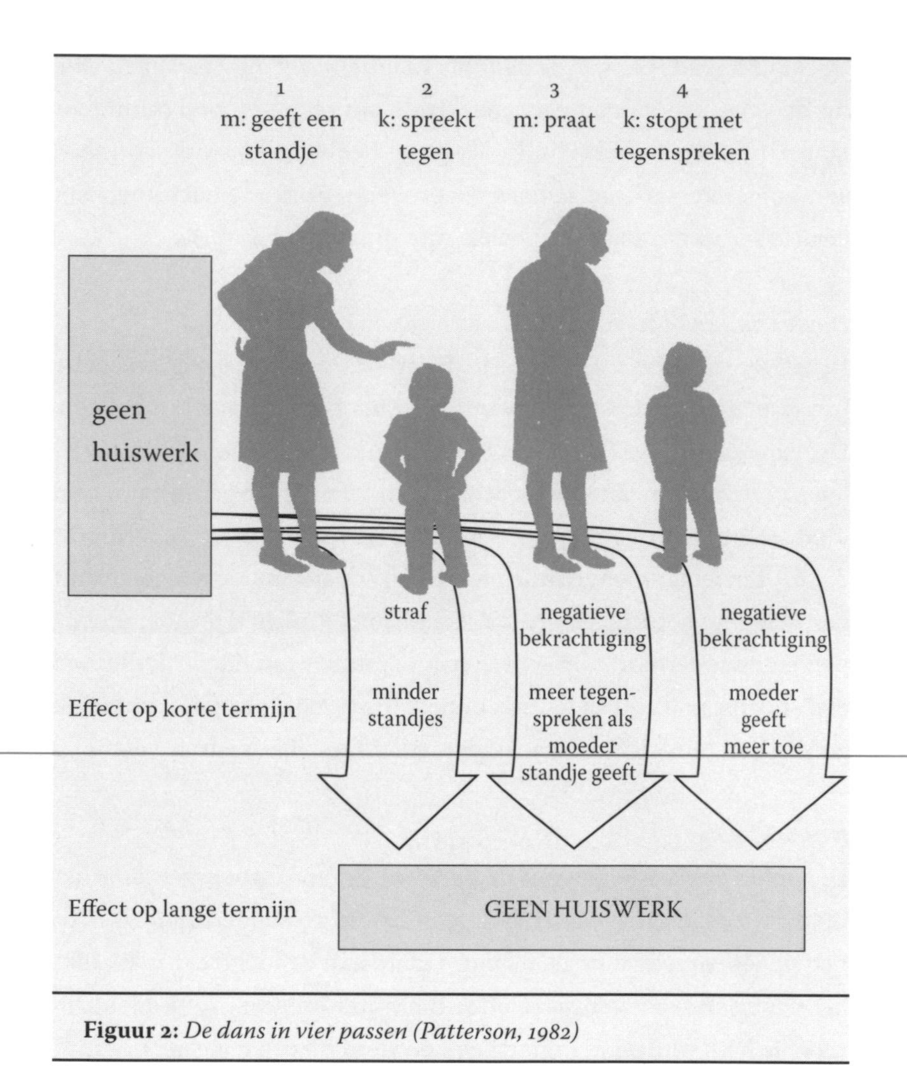

Figuur 2: *De dans in vier passen (Patterson, 1982)*

is er de ouder, die het protest van het kind beloont door toe te geven, en aan de andere kant is er het kind, dat het toegeven van de ouder bekrachtigt door op te houden met protesteren en moeilijk doen.

Ouders en kinderen versterken elkaars gedrag

Ook Chloë en haar moeder uit het volgende voorbeeld bekrachtigen elkaars gedrag:

Op een rustige zaterdag krijgt de moeder van Chloë (6) tot haar grote vreugde telefoon van een vriendin die pas terug is na een maandenlang verblijf in het buitenland. De twee vriendinnen hebben elkaar heel lang niet gezien en hebben elkaar dus veel te vertellen. Het telefoongesprek is nog geen twee minuten aan de gang, als Chloë aan haar moeders mouw komt trekken: 'Mama, mag ik nu schilderen?' Haar moeder antwoordt dat ze Chloë straks papier en waterverf zal geven, maar dat ze nu eerst even met haar vriendin wil praten. Nauwelijks enkele minuten later staat Chloë weer bij haar moeder en stoort ze het gesprek. 'Ga nog even braaf spelen, Chloë, dan gaan we straks samen schilderen', probeert mama. Maar Chloë blijft het gesprek voortdurend storen, ze plaagt de poes en knoeit expres met de waterverf die ze inmiddels zelf uit de kast heeft gehaald. Alles gebeurt onder de ogen van haar moeder, die zich steeds minder op het gesprek kan concentreren. Na een gesprek van nog geen tien minuten besluit Chloës moeder dat ze haar vriendin een andere keer terug zal moeten bellen. Chloë ruimt vlug de geknoeide verf op en begint braaf te schilderen.

Een kwestie van 'kansberekening'

Kinderen krijgen, wanneer hen iets gevraagd wordt, via heel veel verschillende interacties de kans om allerlei reacties uit te proberen. Een kind kan bijvoorbeeld vriendelijk vragen om nog wat langer op te mogen blijven, het kan mopperen en pruilen, of het kan ook echt kwaad worden en pertinent weigeren te gaan slapen. In elk geval 'leert' het kind door de vele dagelijkse interacties welke reacties het beste resultaat opleveren, en bij wie. Dat verklaart meteen ook waarom kinderen zich in de klas soms heel anders gedragen dan thuis. In veel gezinnen heeft vader noch moeder problemen met het hanteren van gezag, maar in sommige gezinnen komt het voor dat moeder gezagsproblemen heeft en dat er helemaal geen gezagsproblemen zijn als vader ook thuis is, of vice versa.

Uit de observaties van Patterson bleek dat als de dans in vier passen heel vaak wordt herhaald, via duizenden en duizenden interacties, dat onvermijdelijk leidt tot een escalatie. De conflictsituaties zullen almaar langer duren, en het probleemgedrag wordt heviger en heviger. Patronen die eenmaal flink ingeworteld zijn, zijn heel moeilijk weer te wijzigen. Bovendien worden die patronen ook 'overleerd', wat betekent dat ze zo goed als automatisch verlopen. Dat is een beetje te vergelijken met autorijden. Wie pas leert rijden, moet alle aandacht vestigen op het schakelen, op tijd remmen, het respecteren van verkeersregels, enzovoort. Maar na verloop van tijd wordt autorijden een soort van automatisme, en kan de chauffeur gerust naar de radio luisteren terwijl hij rijdt, of een gesprekje voeren met zijn passagiers. Zo gebruiken sommige kinderen moeilijk gedrag uit pure gewoonte, omdat ze de tactiek al snel perfect beheersen.

Hoe dan ook, gezien het 'succes' dat een kind met bepaald gedrag boekt, is het niet te verwonderen dat de dansen in vier passen alleen maar in frequentie en heftigheid zullen toenemen. Kinderen leren immers gemakkelijk dat nog heftigere gedragingen een nog sneller effect hebben om hun slag thuis te halen. Dat je de afstandsbediening van de televisie niet door te zeuren in handen krijgt, maar wel door te slaan of te duwen, bijvoorbeeld... Als een conflict wordt beëindigd via een escalatie, is de kans groter dat een volgend conflict dan weer op een hoger niveau van start gaat.

Als kinderen bijna systematisch weten te ontsnappen aan opdrachten en verzoeken van hun ouders, verliezen die ouders na verloop van tijd elke controle, en neemt het kind het roer volledig in handen. Dat blijkt ook uit het voorbeeld van Elke (6), die al een tijdje op de kinderafdeling van een ziekenhuis ligt.

Als de verpleegster op een middag Elkes eten brengt, zegt de moeder van Elke vriendelijk dat dit eigenlijk niet nodig is, want: 'Elke lust dat toch niet; thuis eet ze alleen chips en drinkt ze altijd cola.' Kinderen zoals Elke, die elke maaltijd weigeren en alleen maar chips en cola lus-

ten, hebben ergens onderweg 'geleerd' dat ze ook chips en cola krijgen, als ze maar flink zeuren, mopperen, roepen of zich desnoods krijsend op de grond gooien. Na verloop van tijd willen ze dan inderdaad ook alleen nog maar chips en cola...

De grote valstrik: rust, maar niet écht...

De dans in vier passen is echter nog veel verraderlijker dan je misschien op het eerste gezicht zou denken. Eigenlijk lopen ouders, telkens als ze niet consequent handelen of weer maar eens toegeven als hun kind hen onder druk zet, in een soort van stiekeme val die voor hen is uitgezet! In eerste instantie hebben ze dat niet eens door. Ze kiezen voor de kortetermijnoplossing door toe te geven aan hun kind, waardoor de rust in huis vlot wordt hersteld, en het conflict al snel 'vergeten' is. Maar een heel belangrijk, onzichtbaar neveneffect is toch wel dat het probleemgedrag van hun kind flink wordt beloond...

Cruciaal bij het dansen in vier passen is dat je blindelings in de val loopt! Op langere termijn zul je immers steeds minder vat hebben op je kind! Zo is het ook niet raar dat ouders van pubers zeggen dat het hopeloos is om over het uur van thuiskomst te discussiëren: 'We hebben er immers toch helemaal niets meer over te zeggen!'

De prijs die je betaalt voor onmiddellijke rust is dus wel erg hoog. Toen Elke ooit eens weigerde te eten, kreeg ze chips en cola, en werd ze weer rustig. Maar later gebeurde dat nog een keer, en toen nog eens, en inmiddels hebben Elkes ouders een dochter die alleen nog maar chips en cola wil!

Wát je kind precies doet om zijn zin te krijgen, is misschien niet eens zo belangrijk. Het gaat veel meer om de vraag of je kind doet wat je vraagt, of niet. En als je kind het niet doet, hoe uit zich dat dan? Of je kind nu krijsend op de grond ligt of amper reageert, als het op het einde van de rit zijn zin heeft gekregen, dan wint hij of zij. Je kind leidt dan de beruchte dans in vier passen!

Gezinnen die duizenden dansen in vier passen achter de rug hebben, en ontelbare keren in een machtsstrijd terechtkwamen, komen vaak uiteindelijk in de hulpverlening terecht. Heel wat ouders geven aanvankelijk een beetje toe, en wat later nog een beetje, tot ze op een bepaald moment compleet het onderspit delven. Je hoeft als ouder natuurlijk niet altijd 'nee' te zeggen. Maar je moet je wel bewust zijn van je 'nee'. Waarom zeg je 'nee'? Een woordje uitleg aan je kind is geen overbodige luxe. En weet wel dat als je eenmaal 'nee' hebt gezegd, dat ook 'nee' is en blijft.

In elk geval is het je nu zeker duidelijk dat het moeilijke gedrag van je kind kan worden in stand gehouden door je reactie...

Aandacht voor positief gedrag!

Maar wat doe je eigenlijk met positief gedrag van je kind? Je begrijpt nu hoe moeilijk of storend gedrag bekrachtigd of beloond wordt, maar heb je er weleens over nagedacht hoe en of je het positieve gedrag van je kind ook bekrachtigt? Vreemd genoeg besteden de meeste ouders van kinderen met probleemgedrag beduidend minder aandacht aan gewenst gedrag van hun kinderen, en geven ze het dus minder bekrachtiging. Misschien omdat goed gedrag nu eenmaal minder de aandacht trekt? Uit onderzoek bij klinische gezinnen blijkt dat ouders van kinderen met gedragsproblemen sowieso minder op hun kinderen letten dan dat dit in gezinnen met normale kinderen gebeurt. Zo komt het wellicht voor dat die ouders niet altijd doorhebben dat hun kind zich al een hele tijd goed gedraagt, en vergeten ze het te prijzen. Maar zelfs als ze het wél opmerken, en hun kind wel complimenteren, blijkt dat voor het kind vaak te leiden tot een plotse omschakeling naar negatief gedrag (om de aandacht van hun ouders vast te houden wellicht?), zodat hun ouders een volgende keer maar liever niet meer reageren op positief gedrag.

Moeilijk kind maakt moeilijk gezin

De beruchte dans in vier passen heeft heel wat gevolgen voor het functioneren van een gezin. Er is veel kans dat er een soort wisselwerking ontstaat tussen het moeilijke gedrag van een kind en zijn gezin, dat steeds slechter gaat functioneren. In figuur 3 is duidelijk zichtbaar wat Patterson via langetermijnonderzoeken kon aantonen: in een slecht functionerend gezin leert het kind al snel een aantal dwingende gedragingen die het gebruikt tegen zijn ouders, andere gezinsleden of zelfs leeftijdsgenoten telkens als het iets moet doen wat het niet wil doen. Maar ook de ouders leren dwingende gedragingen aan die ze gaan gebruiken omdat ze in vroegere situaties het gewenste effect hadden: hun kind gehoorzaamde uiteindelijk toen ze zich erg kwaad maakten.

Na verloop van tijd zullen deze ouders hun kinderen ook steeds minder opdrachten geven. Hun kind zal immers toch weer lastig doen, en om van het hele gedoe af te zijn, nemen ouders de opdrachten van hun kind dan nog liever over. Dat is absoluut niet bevorderlijk voor het verantwoordelijkheidsgevoel en de zelfstandigheid van het kind, en ook de andere kinderen in het gezin zullen langzaamaan een afkeer krijgen van die 'lastige' die alle opdrachten ontloopt en hen opzadelt met extra werk. Het gezin zal bijvoorbeeld ook minder uitstapjes maken, omdat iedereen nieuwe problemen met het moeilijke kind wil vermijden. De ouders gaan hun dwingende tactieken soms ook toepassen op andere gezinsleden, waardoor ook deze kinderen op hun beurt dwingend gedrag zullen gaan vertonen tegenover hun ouders en het opstandige kind. Zo komen aversieve gebeurtenissen in een gezin met een moeilijk kind al snel veel vaker voor dan normaal...

Het spreekt voor zich dat zo'n gezinspatroon verschrikkelijke gevolgen heeft voor het gevoel van eigenwaarde van de ouders, voor de verstandhoudingen binnen het gezin, voor de relatie tussen de ouders

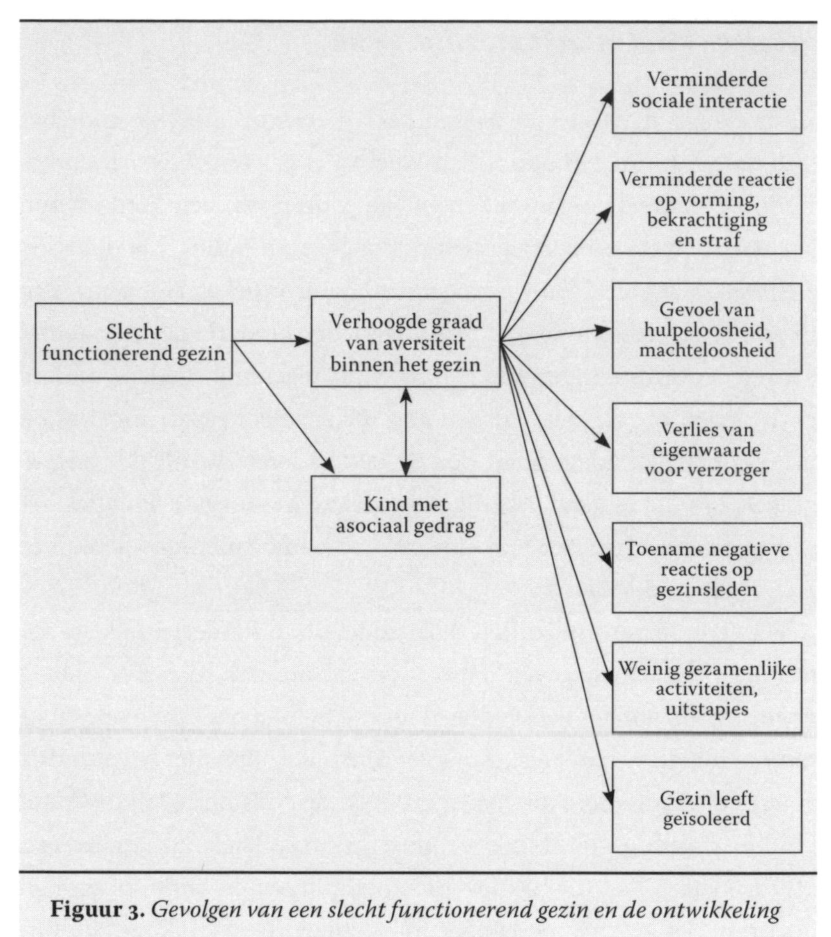

Figuur 3. *Gevolgen van een slecht functionerend gezin en de ontwikkeling van asociaal gedrag bij het kind (Patterson, 1982, p. 233)*

(zeker als het kind zich bij mama lastiger gedraagt dan bij papa, of vice versa), en voor de eigenwaarde van het moeilijke kind zelf.

De opvoedingstheorie ruimer bekeken

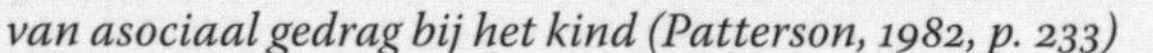

Zoals we al aanhaalden, bestaat de theorie van Patterson uit twee verschillende niveaus. Het micromodel hebben we hierboven uitgebreid beschreven. De dans in vier passen staat heel dicht bij 'de alledaagse opvoeding' en toont aan dat er een bijzonder verband bestaat tussen de opvoedingshandelingen en gedragsveranderingen bij een jong kind. Het micromodel is verweven met een macromodel, waarmee we in het tweede niveau van de theorie van Patterson terechtkomen. Patterson en zijn collega's ontwikkelden dit model aan de hand van verschillende methoden (vragenlijsten, interviews en observaties) bij verscheidene informanten (ouders, leerkrachten, opvoeders, jongeren). Het beschrijft in algemenere termen hoe opvoedingshandelingen en probleemgedrag bij kinderen samengaan. De macrotheorie over opvoeding beschrijft in algemene termen hoe ruimere opvoedingsvaardigheden samengaan met probleemgedrag bij kinderen. Vijf verschillende ouderlijke 'vaardigheden' staan daarbij centraal. In het laatste hoofdstuk worden tips gegeven die betrekking hebben op die vaardigheden.

▸▸ 1. *Ben je een betrokken ouder?*

Neem je de tijd om naar je kind te luisteren als het iets te vertellen heeft? Als je kind thuiskomt van school, wil het wellicht graag zijn verhaal kwijt. Belangstelling tonen voor alles waar je kind mee bezig is, vragen hoe het zich voelt, ervoor zorgen dat het zich goed voelt zijn allemaal dingen die bij ouderlijke betrokkenheid horen.

▸▸ 2. *Doe je aan supervisie?*

Bij opvoedingshandelingen hoort ook 'superviseren'. Weet je waar je kind na schooltijd uithangt, en met wie? Met wie je kind zoal optrekt? Welke websites het bezoekt als het achter de computer zit? Met wie het zit te chatten? Welke televisieprogramma's het bekijkt?

▸▸ 3. *Neem je de leiding?*

Kun je je kind sturen? Of word je door je kind gestuurd? Zorgen voor discipline is een ouderlijke vaardigheid, grenzen stellen en leidinggeven is de taak van ouders. Het is belangrijk dat je kunt zeggen: 'Tot hier en niet verder.' Zorg voor begrijpelijke regels die je zelf ook toepast.

▸▸ *4. Geef je positieve aandacht?*

Besteed je aandacht aan positief gedrag van je kind? Opbouwende commentaar geven is van belang, ook als het goed gaat. Het voortdurend blijven zeuren en kankeren over de dingen die niet goed gaan daarentegen, heeft geen zin en is allesbehalve effectief.

▸▸ *5. Hoe los je dit op?*

Opvoeden betekent ook dat je je kind strategieën aanleert die het kan gebruiken om zijn problemen op te lossen. Je hoeft je kind niet aan zijn lot over te laten, maar door het genoeg verantwoordelijkheid te geven, en door ermee te praten, leer je het hoe het zijn problemen het beste kan oplossen.

Zolang het met deze vijf opvoedingsvaardigheden wel goed zit, is de kans op de ontwikkeling van asociaal gedrag bij een kind niet bijzonder groot.

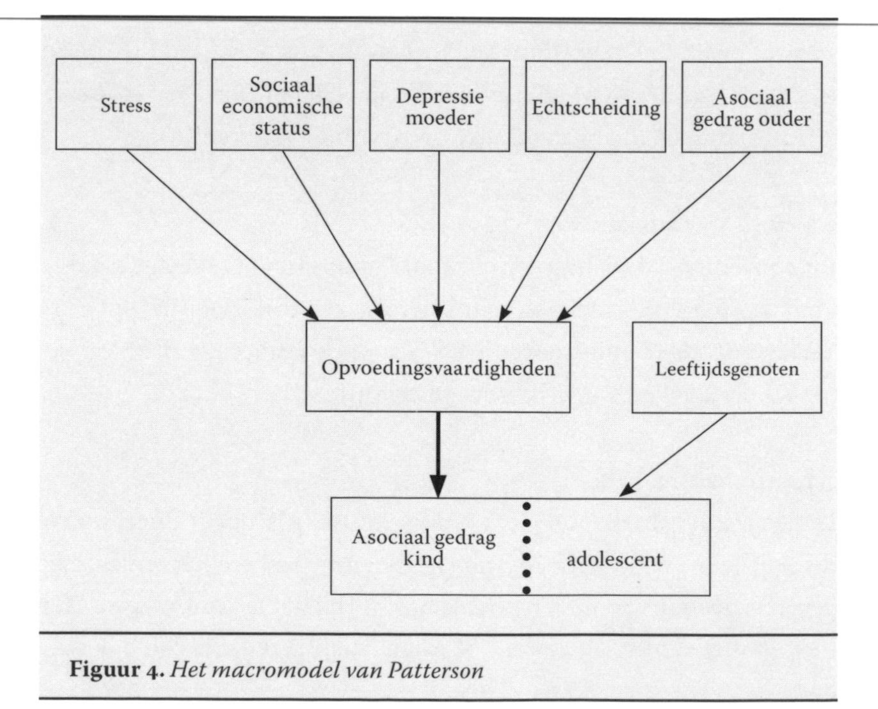

Figuur 4. *Het macromodel van Patterson*

Als we het macromodel bekijken, merken we op dat 'de opvoeding' (met de vijf vaardigheden zoals eerder besproken) als een soort buffer fungeert tussen risicofactoren uit de omgeving en het asociale gedrag waartoe ze bij een kind zouden kunnen leiden. Concreet betekent dat bijvoorbeeld dat een echtscheiding van de ouders of van een depressieve moeder nauwelijks of geen invloed zal hebben op het gedrag van een kind, zolang het met de opvoeding van dat kind maar goed zit. Valt de buffer van de opvoeding weg, raakt de opvoeding ontwricht, dan is de kans op de ontwikkeling van asociaal gedrag veel groter.

Wat hebben we in dit hoofdstuk geleerd?

- Gedrag bij kinderen wordt versterkt of aangeleerd via bekrachtiging.
- Er bestaan twee soorten bekrachtiging. Een kind belonen als het dat verdiend heeft, noemen we positieve bekrachtiging. Het laten wegvallen van een opdracht of toegeven wanneer het kind protesteert, noemen we negatieve bekrachtiging. Negatieve bekrachtiging is een sleutelmechanisme bij het ontstaan van moeilijk gedrag.
- Dat sleutelmechanisme kan beschreven worden als een dans in vier passen. Deze dans is voor ouders een valstrik.
- Eenmaal ingewortelde gedragspatronen zijn heel moeilijk te veranderen.
- Kinderen met opvoedingsvaardige ouders hebben minder kans om asociaal gedrag te ontwikkelen.

IV •• EVEN UNIEK ALS EEN VINGER-AFDRUK: DE PERSOONLIJKHEID

De geboorte van een nieuwe baby zorgt altijd weer voor heel wat ophef. En niet alleen bij de nieuwbakken ouders, die vol overgave en goede voornemens hun kind willen koesteren en opvoeden! Ook bij broers en/of zusjes heerst er vreugde en opwinding, net zoals bij de verdere familie- en vriendenkring, die net zo intens meedelen in het grote geluk. Na maanden wachten is 'het' er immers, en iedereen bespreekt nu uitgebreid het gewicht en de lengte van de pasgeborene, en het feit dat 'het' nu wel degelijk een 'hij' of een 'zij' blijkt te zijn. De gesprekken die oma's en opa's, buren en vrienden boven de wieg voeren, zijn vaak grappig, en in elk geval heel herkenbaar.

'Kijk dat neusje toch eens... dat heeft hij helemaal van zijn vader!' of 'Ze zal later ook prachtig piano kunnen spelen, net als haar moeder. Ze heeft dezelfde lange vingers!' en ook 'Net zijn zusje! Twee jaar geleden lag hier net zo'n baby in dit wiegje!' Iedereen heeft zo zijn ideeën over de baby, en het vergelijken van baby's is duidelijk zeer geliefd bij de meeste mensen.

Maar de vergelijkingen zullen al snel veel verder gaan dan alleen de uiterlijke kenmerken van het kleintje. En laat het duidelijk zijn dat vooral ook de eigen ouders zich niet onbetuigd laten! Met de uiterlijke kenmerken van hun nieuwe kindje worden ouders vanaf het eerste moment geconfronteerd, maar het wordt hen pas na een tijdje ook steeds duidelijker dat hun nieuwe nakomeling ook 'een nieuw temperament in huis' betekent.

Seppe heeft nog nooit een nacht doorgeslapen, maar zijn pasgeboren zusje Amber slaapt moeiteloos acht uur achter elkaar.
Anke vraagt veel meer aandacht dan broer Rob en laat zich moeilijker troosten.

Elsje ligt voortdurend rond te kijken en slaapt veel minder dan zus Joke.

Maud ligt in de box minutenlang geconcentreerd te kijken naar de mobiel die haar ouders boven haar ophingen.

Jürgen trappelt voortdurend met zijn armpjes en zijn beentjes en probeert een week of twee na zijn geboorte zijn hoofdje al op te tillen.

Saskia houdt het bij slapen en rondkijken en beweegt zich nog maar weinig.

Dieter slaapt overal en merkt blijkbaar niet of hij nu in zijn wiegje thuis ligt, of in het grote kinderledikantje bij zijn oma.

Tess is veel gevoeliger voor haar omgeving en valt alleen vanzelf in slaap als ze thuis in haar eigen bedje ligt. Een vreemd bedje en een vreemde omgeving maken haar aan het huilen.

Ouders ondervinden ook dat de trucjes en middeltjes in verband met voeden, sussen en wiegen, die misschien prima resultaat opleverden bij het ene kind, soms helemaal niet werken bij een volgend kind, en bij weer een nieuw kindje in het gezin zal het weer anders zijn.

Er is geen uitgebreid wetenschappelijk onderzoek voor nodig om vast te stellen dat elke baby, ondanks bepaalde gelijkenissen, toch een uniek temperament heeft. En de verschillen worden met het ouder worden vaak alleen maar groter en duidelijker. Ouders, opvoeders en leerkrachten merken zo dat kinderen en pubers qua persoonlijkheid onderling totaal kunnen verschillen. Zelfs ouders van vier of meer kinderen zullen je vertellen dat hun zoveelste nakomeling toch weer als dag en nacht van alle broers en zussen verschilt. Sommige kinderen zijn uitbundig en praatgraag, anderen zijn juist wat terughoudend en tamelijk stil. Sommige kinderen zijn vlug geïrriteerd, anderen zijn veel gemoedelijker en blijven onverstoorbaar hun gang gaan. Sommige kinderen zijn vlug op hun tenen getrapt, anderen zijn zachtaardig en lief. Kortom, alle kinderen hebben er een, en toch is die bij alle kinderen uniek: de persoonlijkheid…

Zoveel mensen, zoveel verschillen

Maar natuurlijk zijn het niet alleen kinderen die van elkaar verschillen. In het begin van dit hoofdstuk, dat helemaal zal gaan over de persoonlijkheid, willen we je uitnodigen om eens even na te denken over jezelf, en wel aan de hand van tabel 1. Je vindt er verschillende persoonlijkheidskenmerken in terug, en het is de bedoeling dat je aanstipt welke op jou van toepassing zijn. Daarna kun je hetzelfde doen voor een van je kinderen. En daarna misschien voor je andere kind, of voor je partner, of voor al wie er verder maar in je opkomt. Het zal je wellicht opvallen hoe 'verschillend' je allemaal bent. Persoonlijkheid is in die zin te vergelijken met een vingerafdruk: iedereen heeft een vingerafdruk en toch bestaan er geen twee dezelfde.

☐ brengt de stemming erin	☐ spant zich in voor anderen
☐ houdt van orde en regelmaat	☐ denkt dat alles wel goed komt
☐ denkt eerst aan zichzelf	☐ doet alles op het laatste moment
☐ probeert ruzie te voorkomen	☐ neemt risico's
☐ vertelt sterke verhalen over zichzelf	☐ werkt volgens een vast patroon
☐ is liefst alleen	☐ gaat uitdagingen aan
☐ zit vol met ideeën	☐ straalt vreugde uit
☐ houdt emoties onder controle	☐ wordt gauw boos
☐ neemt het initiatief	☐ is bang iets verkeerd te doen

Tabel 1: *Voorbeelden van persoonlijkheidskenmerken*

Het feit dat we allemaal verschillend zijn, speelt een belangrijke rol in het leven. Je moet er alleen al maar eens op letten hoeveel gesprekken er door die verschillen op gang blijven. Wat we met die gesprekken doen, is voor onszelf een beeld vormen over anderen of over onszelf. Boeken, films en toneel zouden zonder personages met heel uitgesproken karakters of persoonlijkheidskenmerken niet eens bestaan. Ook de figuren in kinderverhalen en sprookjes krijgen allemaal uitgesproken karaktertrekken toegeschreven. Het nadenken over verschillen tussen mensen is overigens niet nieuw, maar waarschijnlijk al zo oud als de mens zelf. Natuurlijk stelt zich dan ook de vraag 'hoe anders' de mensen zijn, en hoe we de verschillen systematisch kunnen beschrijven...

Wat is persoonlijkheid?

Van Dale verklaart persoonlijkheid als 'de som van iemands hoedanigheden, eigenschappen en karaktertrekken, waardoor hij tot een individu wordt'. In onze omgangstaal bedoelen we met persoonlijkheid meestal datgene wat uniek en typerend is voor een bepaald iemand.

Karaktertrekken, persoonlijkheidskenmerken of kortweg 'trekken' zijn woorden die we in onze taal zonder aarzelen als synoniem gebruiken. Wat we eigenlijk proberen is de grote hoeveelheid informatie over een persoon samen te ballen tot enkele typerende kenmerken. Op die manier wordt de realiteit van die persoon, die toch wel heel complex is, voor ons iets gemakkelijker te begrijpen of te vatten. Als we de essentiële eigenschappen van iemand kennen, dan wordt die persoon meteen beter voorspelbaar en herkenbaar voor ons. Vaak weten we van iemand die we kennen vrij goed hoe hij of zij in bepaalde situaties zal reageren. Dat betekent ook dat we beter kunnen inspelen op bepaalde situaties of bepaalde reacties van de ander, misschien zelfs kunnen voorkomen of versterken. Iemand kennen schept dus heel wat mogelijkheden voor het omgaan met die persoon. We denken bij iemands persoonlijkheid hoe dan ook toch vooral aan de eigenschappen die deze persoon uniek en dus verschillend van anderen maken.

De persoonlijkheidspsychologie richt zich vooral op persoonlijkheidskenmerken en probeert verschillen en gelijkenissen tussen mensen te beschrijven en te verklaren.

Een definitie voor persoonlijkheid die vaak gehanteerd wordt, is: **persoonlijkheid is een verzameling van min of meer interne factoren die het gedrag van de persoon consistent maken over verschillende situaties, die min of meer stabiel zijn in de tijd, en die verschillend zijn van het gedrag dat andere personen vertonen in vergelijkbare omstandigheden**[1]. Een hele mond vol! We zullen eerst een aantal kernbegrippen uit de definitie verduidelijken, telkens aan de hand van een voorbeeld.

Marijke (8) bruist van de energie en lacht bijna altijd. Ze praat graag en veel, en is bij andere kinderen heel geliefd. Thuis kletst ze haar ouders en haar zus de oren van het hoofd, op school heeft ze een hele reeks vriendinnen die graag naar haar luisteren, en in de lerarenkamer staat Marijke bij de leerkrachten bekend als vrolijke kletskous. Uit haar spontane gebabbel leiden mensen af dat Marijke inderdaad niet erg verlegen en heel extravert is.

Intern verwijst naar het feit dat persoonlijkheid, in tegenstelling tot gedrag, niet direct zichtbaar is, maar wel afgeleid kan worden van gedrag, dat wél zichtbaar is. We kunnen niet onmiddellijk zien dat Marijke extravert is, maar omdat ze gemakkelijk en veel kletst, zich sociaal gedraagt en bruist van de energie, zeggen we dat Marijke een extravert kind is. Persoonlijkheidskenmerken kunnen worden afgeleid uit karakteristieke, typerende aanpassingen aan de omgeving. Denk bijvoorbeeld maar aan kinderen die voor het eerst naar school gaan. Sommige kleuters voelen zich in hun klasje meteen als vissen in het water, andere kleuters hebben meer tijd nodig om zich aan te

1 De Fruyt, F., & Mervielde, I. (2002). *Persoonlijkheidspsychologie*. Gent: Academia Press (p. 7).

passen. Zodra Marijke nieuwe mensen ontmoet, slaagt ze er blijkbaar in contacten te leggen en een gesprek op gang te brengen. Haar broer daarentegen is eerder teruggetrokken en heeft in dat soort situaties een duwtje in de rug nodig.

Yoshi (4) is niet bepaald haantje-de-voorste en stelt zich meestal nogal afwachtend op. Is hij eenmaal enthousiast over iets, of gewend aan een nieuwe omgeving of een nieuwe situatie, dan komt hij wel los, en kan hij behoorlijk actief zijn, maar hij is niet degene die het initiatief neemt, voorstellen doet of beslissingen neemt in de klas. Ook in andere situaties laat hij alles eerst op zich afkomen. Als hij 'ontdooid' is, begint hij onopvallend mee te spelen met de andere aanwezige kinderen. Bij de scouts vindt hij in het begin van de namiddag meestal moeilijk zijn draai. Hij staat een beetje aan de kant terwijl de andere kinderen meteen spelletjes gaan spelen. Als ze hem na een tijdje voor de zoveelste keer vragen of hij echt niet wil meedoen, voegt hij zich aarzelend bij de groep. De rest van de namiddag speelt hij zonder problemen mee en lijkt hij de spelletjes en de andere kinderen leuk te vinden.

<u>Consistent:</u> consistentie verwijst naar de karakteristieke manier van zich gedragen in heel uiteenlopende situaties. De manier waarop iemand zich gedraagt of reageert in een bepaalde situatie is dus vrij typerend voor een individu. Yoshi bijvoorbeeld is zoals hij is, niet alleen thuis, maar ook in de klas en bij naschoolse activiteiten. Het gaat om eigenschappen die onveranderlijk zijn, wat er ook gebeurt. In sommige situaties moet die consistentie misschien wel even wijken, als een aanpassing aan de geldende norm nodig is bijvoorbeeld, maar dan nog zal de wijze van aanpassing typerend zijn voor de persoon in kwestie.

Als een extravert kind geconfronteerd wordt met het verlies van een huisdier, is de kans groot dat het misschien een tijdje bedrukt rondloopt en wat stiller is dan anders, maar zal het in de klas, bij de juf of bij vriendjes, toch zijn verhaal wel kwijt willen en vertellen wat er met het dier is gebeurd. Een introvert kind zal in dezelfde situatie waarschijnlijk helemaal dichtklappen, nog stiller zijn dan anders, zijn verdriet alleen willen verwerken, en met niemand over het verlies willen of kunnen praten.

Twee kinderen kunnen ook totaal verschillend reageren als ze zich pijn doen bijvoorbeeld. Het ene kind zal misschien huilend naar de juf lopen als het is gevallen, terwijl een ander kind in een hoekje zijn pijn zal staan te verbijten. Dat terwijl ze toch allebei min of meer dezelfde pijn ondergaan!

Eigenlijk kunnen we stellen dat er een zekere dwingende of sturende invloed uitgaat van de omgeving of de situatie (op ziekenbezoek gedraag je je anders dan op een verjaardagsfeest), maar binnen dezelfde situatie bestaat er toch nog altijd een grote variatie aan gedrag tussen verschillende mensen.

Erica (17) is een actief meisje dat door al haar bezigheden nog maar zelden thuis is. Vooral in de jeugdbeweging stopt ze veel tijd. Sinds kort is ze leidster bij de schattige, maar erg vermoeiende, zesjarige leden. Erica is duidelijk een geboren leidster. Ze heeft de kinderen goed in de hand, en is tegelijkertijd erg populair. Het verwondert overigens niemand dat Erica op haar toch nog jonge leeftijd al leidster is. Als klein meisje was zij al een absoluut haantje-de-voorste. Altijd even enthousiast om overal aan mee te doen, maar ook zelf boordevol plannen en ideeën. Als klein meisje was zij degene die ruzies oploste in de klas, of het initiatief nam voor klassengesprekken. Zelfs in de kleuterklas vielen haar capaciteiten al op. De juf merkte vrijwel de eerste dagen al dat Erica er alles aan deed om de sfeer in de klas optimaal te houden. Ze gaf toe als daardoor een ruzie vermeden kon worden, en nam het initiatief om samen te spelen. Kleuters die het moeilijk hadden, werden door Erica op sleeptouw genomen. Soms leek het wel een beetje of Erica iets ouder was dan haar leeftijdsgenoten.

Stabiliteit: Stabiliteit wijst op het feit dat persoonlijkheidskenmerken door de jaren heen vaak terug te vinden zijn. Interne factoren zijn door de jaren heen en in verschillende situaties immers relatief stabiel. Natuurlijk kunnen mensen wel enigszins veranderen en zijn er lichte wijzigingen binnen een persoonlijkheid mogelijk, maar de stabiliteit van de persoonlijkheid weegt door.

Kasper (5) en Nathalie (5) reageerden onlangs totaal verschillend op een evacuatieoefening in hun kleuterschool. Terwijl Nathalie goed luisterde naar de juf, en ontspannen lachend met haar klasgenootjes mee naar de speelplaats liep, raakte Kasper erg van streek door de onverwachte gang van zaken en liep hij een beetje bedremmeld aan de hand van zijn juf naar buiten.

Individuele verschillen: Persoonlijkheid zorgt ervoor dat het gedrag van een bepaald kind anders is dan het gedrag van een ander kind in precies dezelfde omstandigheden. In dezelfde of min of meer vergelijkbare situaties reageren kinderen dus op heel verschillende manieren. Als alle kinderen om de juf heen gaan zitten voor het dagelijkse kringgesprek bijvoorbeeld, vallen individuele verschillen meteen op. In deze, toch voor alle kinderen vertrouwde en bekende situatie, zal het opvallen dat het bijna altijd dezelfde kinderen zijn die het hoogste woord voeren, en dat ook de stille, rustige kinderen bijna altijd wat stil en teruggetrokken zijn. Als ze rechtstreeks aangesproken worden of gevraagd worden om te antwoorden, zal ook de manier van reageren van deze kinderen totaal verschillen. Het ene kind vertelt wellicht honderduit en heel uitbundig, het andere kind zal misschien extra aangespoord moeten worden voordat het aarzelend en schoorvoetend antwoordt.

Temperament en persoonlijkheid, is er een verschil?

Tot voor kort had men het in de literatuur steevast over 'temperament' als het erom ging de verschillen bij jonge kinderen samen te vatten en te beschrijven. De term 'persoonlijkheid' werd gereserveerd voor het onderzoek naar individuele verschillen bij oudere kinderen en volwassenen. Voor temperament bestaan er heel wat definities. Gemeenschappelijk aan die definities is dat individuele verschillen een biologische oorsprong hebben, relatief stabiel zijn door de tijd heen en al bij de geboorte aanwezig zijn. Temperament is dus eigenlijk een soort stilistische component van het gedrag. Of met een metafoor: iemands temperament is zo'n beetje iemands biologische make-up. De pioniers van het onderzoek naar temperament zijn Thomas en Chess. Zij definiëren temperament als een algemene term die verwijst naar het 'hoe' van het gedrag, in tegenstelling tot het 'wat' (inhoud) van het gedrag en het 'waarom' (motieven) van het gedrag. Zij zien de temperamentontwikkeling als het resultaat van de interactie tussen het jonge kind en zijn complexe omgeving, zowel binnen als buiten het gezin.

De oorspronkelijk veronderstelde 'kloof' tussen temperament bij kinderen en persoonlijkheid bij volwassenen is echter helemaal niet zo groot als we ons maar goed realiseren dat simpelweg niet alle persoonlijkheidskenmerken bij jonge kinderen kúnnen worden gemeten. Sommige eigenschappen (zoals netheid, empathie, gevoel voor humor...) worden nu eenmaal pas op latere leeftijd duidelijk. Een baby van zes maanden kan nu eenmaal nog niet opruimen, dat wil natuurlijk helemaal niet zeggen dat hij niet netjes is, bijvoorbeeld! Als iets niet meteen naar de oppervlakte komt, betekent dat nog niet dat 'het er dus niet in zit'! Als de kleuterleeftijd eenmaal voorbij is, wordt het zogenaamde verschil tussen temperament en persoonlijkheid erg vaag. Bovendien blijkt uit onderzoek dat temperamentkenmerken de voorlopers zijn van persoonlijkheidskenmerken. Daarom wordt er in onderzoek steeds minder onderscheid gemaakt tussen temperament en persoonlijkheid en worden beide termen steeds vaker als synoniem gebruikt.

De structuur van de persoonlijkheid

Nu we een idee hebben van wat persoonlijkheid is, kunnen we ons verder gaan verdiepen in hoe we de verschillen in persoonlijkheidskenmerken kunnen meten of beschrijven. Zoals we helemaal in het begin van dit hoofdstuk al zagen, zijn tussen kinderen van jonge leeftijd al heel wat onderlinge verschillen vast te stellen. Zelfs bij kinderen die we nauwelijks kennen, zien we vrij gemakkelijk dat ze van elkaar verschillen. Wetenschappelijk onderzoek naar persoonlijkheidsverschillen lijkt misschien in eerste instantie overbodig. Maar als we willen begrijpen wat de invloed en de gevolgen van die onderlinge verschillen precies zijn, is het toch wel van belang om persoonlijkheidsverschillen zo correct mogelijk te beschrijven en te meten.

Onderzoek zorgt ervoor dat heel verschillende persoonlijkheidskenmerken duidelijk kunnen worden beschreven, en dat ze wetenschappelijk geïnventariseerd kunnen worden en in kaart kunnen worden gebracht. Dat heeft voor ouders misschien geen rechtstreeks belang, maar een dergelijke inventarisatie maakt wel duidelijk hoe al die vroege temperamentkenmerken zich verder ontwikkelen tot de uiteindelijke persoonlijkheid van een volwassene. Als we bij een volwassene teruggaan in de tijd, dan is zeker te merken dat een aantal kenmerken van de volwassene al duidelijk aanwezig waren toen hij of zij nog een kind was. Op het domein van gedragsstoornissen heeft onderzoek zelfs aan het licht gebracht dat er bij bepaalde persoonlijkheidskenmerken een verhoogde kans op probleemgedrag aanwezig is. Dat maakt het beschrijven van persoonlijkheidskenmerken bij kinderen meteen tot uiterst boeiend, wetenschappelijk terrein! Want als risicofactoren in beeld kunnen worden gebracht, betekent dat ook dat het eenvoudiger wordt om tijdig in te grijpen of bij te sturen.

Alle verschillen in vijf superfactoren!

De moeder van Tatiana (4) beschrijft haar dochter als energiek en ondernemend. Tatiana is altijd bezig met ontdekken. Ze kruipt, klimt, rent en kent geen angst. Ze wil altijd uittesten hoe hoog, hoe diep of hoe gevaarlijk iets nu precies is. Tatiana is erg behendig, zit niet graag stil en heeft een sportieve, nieuwsgierige uitstraling.

Igor (7) gaat volgens zijn moeder heel bedachtzaam, geconcentreerd en rustig door het leven. Hij kan uren zitten spelen met legoblokjes waarbij hij maar één doel voor ogen heeft: een constructie creëren zoals hij die in gedachten ziet. Igor is geïnteresseerd in auto's, computers, elektriciteit, en eigenlijk alles waar een of andere vorm van techniek aan te pas komt. Als er niets te prutsen of te frutselen valt, zit Igor in boeken te kijken. Gezelschap van andere kinderen lijkt hem weinig te interesseren. Hij houdt zich liever alleen bezig en vindt het vreselijk zijn lego te moeten delen met andere kinderen. Hij is erg netjes en ordelijk met zijn spullen en heeft liever niet dat een ander eraan komt.

Als we lezen hoe deze twee moeders hun kinderen beschrijven, valt het op hoe belangrijk de woorden zijn die ze in hun beschrijving gebruiken. In de loop der tijd werden aan onze taal steeds nieuwe woorden toegevoegd om iets of iemand beter te kunnen beschrijven. Wat belangrijk genoeg is, krijgt in de taal immers vorm. Dat bleek juist ook een interessante benadering om onderzoek naar persoonlijkheid te doen. Een belangrijke vraag is dan: hoeveel verschillende categorieën zijn er nodig om iemands persoonlijkheid te beschrijven? Wetenschappers gingen aan het werk door uit het woordenboek alle woorden te verzamelen die 'iets' over iemand zeggen. Persoonsbeschrijvende adjectieven bleken ideaal om verschillen tussen mensen aan te geven. Uit verschillend onderzoek bleek telkens dat alle woorden die persoonlijkheidskenmerken beschrijven, ondergebracht kunnen worden in vijf grote categorieën of factoren. Alle gelijkenissen en verschillen in persoonlijkheidskenmerken kunnen dus beschreven en gemeten worden aan de hand van vijf grote factoren. We noemen die factoren daarom de vijf 'superfactoren'.

Als iemand dus je kind zou beschrijven, dan kunnen we alle mogelijke termen en woorden die gebruikt worden om iets te vertellen over je kind, onderbrengen in een van de vijf superfactoren. Interessant om weten is dat dezelfde factoren teruggevonden werden in verschillende culturen, in verschillende landen en in verschillende talen. Vandaar ook de term superfactoren, of *The Big Five*, zoals wetenschappers ze noemen.

Aardig om te weten is dat men persoonlijkheid blijkbaar niet voor niets ook weleens 'de aard van het beestje' noemt. Die uitdrukking is namelijk niet alleen speels bedoeld: ook bij dieren kunnen individuele verschillen in persoonlijkheid worden teruggevonden en aangetoond. *The Big Five* geldt dus ook voor dieren!

Deze superfactoren kunnen voorgesteld worden als dimensies. De mate waarin een bepaald kenmerk typerend is, kan dan variëren van zeer typerend tot helemaal niet typerend.

Tabel 2 bevat enkele voorbeelden uit de H*i*PIC (Hiërarchische Persoonlijkheidsinventarisatie voor kinderen)[2]. De H*i*PIC is een vragenlijst die is ontwikkeld om persoonlijkheidskenmerken bij kinderen tussen 4 en 12 jaar te inventariseren. Tabel 2 illustreert de hiërarchische structuur van de vragenlijst. De vijf superfactoren worden onderverdeeld in kleinere, specifieke factoren die facetten worden genoemd.

Je vindt de vijf superfactoren onderverdeeld in 18 facetten. Noem een karaktertrek, een eigenschap, een eigenaardigheidje van een van je gezinsleden (of van jezelf), en je merkt onder welke van de vijf superfactoren dat trekje is onder te brengen.

---

2 Mervielde, I., & De Fruyt, F. (1999). Construction of the Hierarchical Personality Inventory for Children (H*i*PIC). In I. Mervielde, I.J. Deary, F. de Fruyt, & F. Ostendorf (Eds.), *Personality psychology in Europe*. Vol. 7 (pp. 107-127). Tilburg: Tilburg University Press.

I Extraversie

I.1. Verlegenheid (spreekt niet gemakkelijk mensen aan)

I.2. Expressiviteit (vertelt ongevraagd over eigen belevenissen)

I.3. Optimisme (gaat lachend door het leven)

I.4. Energie (bruist van leven)

II Welwillendheid

II.1. Egocentrisme (voelt zich vlug benadeeld)

II.2. Irriteerbaarheid (is vlug op de tenen getrapt)

II.3. Gehoorzaamheid (respecteert beleefdheidsregels)

II.4. Dominantie (speelt de baas)

II.5. Altruïsme (deelt met leeftijdsgenoten)

III Consciëntieusheid

III.1. Prestatiemotivatie (wil tot de besten behoren)

III.2. Ordelijkheid (draagt zorg voor eigen materiaal)

III.3. Concentratie (kan lange tijd met hetzelfde bezig zijn)

III.4. Doorzettingsvermogen (bijt door als het moeilijk wordt)

IV Emotionele stabiliteit

IV.1. Angst (raakt vlug in paniek)

IV.2. Zelfvertrouwen (heeft weinig complexen)

V Vindingrijkheid

V.1. Creativiteit (kan alledaagse dingen op een nieuwe manier gebruiken)

V.2. Nieuwsgierigheid (wil overal het fijne van weten)

V.3. Intellect (heeft maar een halve uitleg nodig)

Tabel 2: *De vijf factoren geïllustreerd aan de hand van voorbeelden uit de Hiërarchische Persoonlijkheidsinventarisatie voor kinderen (Mervielde & De Fruyt, 1999)*

I Extravert/Introvert

Maxim (8) staat bekend als de lachebek van de klas. Hij is altijd in een prima humeur; de meester beschrijft hem als 'het zonnetje in huis' en zegt dat Maxim een positieve invloed heeft op de sfeer in de klas.

Deze dimensie loopt van extravert tot introvert, en varieert van enerzijds hartelijk, energiek, sociaal en dominant tot anderzijds teruggetrokken en onderdanig. Deze dimensie meet zowel de mate van emotionele, sociale en verbale expressiviteit, als de mate van verlegen zijn, onaangepast zijn, zich isoleren en terugtrekken, en niet erg assertief zijn.

II Vriendelijkheid/Welwillendheid

Milène (9) speelt tot grote ergernis van haar moeder altijd en overal de baas. Zij bepaalt wat er wordt gespeeld, wie er mag meespelen en wanneer het spel is afgelopen.

Het ruime gebied van vriendelijkheid/welwillendheid beschrijft kenmerken die tot uiting komen in interacties met anderen in termen gaande van prosociaal tot asociaal. Empathie, warmte, vertrouwen, oprechtheid, medeleven, interesse in emoties en gevoelens van anderen worden hier in contrast gezet met dominantie, weinig inlevingsvermogen en weinig interesse in anderen.

III Consciëntieusheid

Sinds Philippe (7) lego ontdekt heeft, is hij er niet meer bij weg te slaan. Hij bouwt en verbouwt dat het een lieve lust is en werkt zijn ideeën tot in detail uit. Als hij tussen zijn blokjes zit, zou de wereld wel kunnen vergaan, hij zou het niet eens merken... Zijn kamer is ook altijd netjes opgeruimd en hij hoeft nooit naar zijn spullen te zoeken.

Consciëntieusheid verwijst vooral naar werksituaties en meet betrouwbaarheid, plichtsbewustheid, stiptheid, concentratie, competentie, inzet, engagement, orde en netheid, doelmatigheid, ambitie en zelfdiscipline.

IV Emotionele stabiliteit

Indy (5) vindt naar school gaan nog steeds niet leuk. Het liefst blijft ze de hele dag vlak bij haar ouders in de buurt. Als haar vader in de file staat en dus weleens te laat is om haar op te halen, huilt ze. Als papa er dan eindelijk is, wordt ze altijd erg boos op hem.

Eigenschappen als emotioneel evenwichtig, stressbestendig en zelfbewust staan hier in contrast met angstig, snel emotioneel gedesoriënteerd en twijfelend aan zichzelf.

V Openheid/Vindingrijkheid

'Anton (8) is nooit opgehouden met de waarom-fase', grappen zijn ouders. Al van toen hij een peuter was, wil Anton altijd en overal het fijne van weten. Hij is niet echt een 'speelkind', maar meer een 'denkkind'. Het feit dat hij nu goed kan lezen en veel zelf kan opzoeken, maakt het voor zijn ouders een stuk rustiger en eenvoudiger...

Deze schaal verwijst naar de mate van openheid voor nieuwe ideeën en ervaringen, creativiteit, fantasie, nieuwsgierigheid, verbeeldingskracht, humor en initiatief.

Drie persoonlijkheidstypes

Siska (6) is een levendig meisje met een rappe tong. Ze voert graag overal het hoogste woord en heeft het hart op de tong. De moeder van Siska beschouwt haar dochtertje als een open boek en lacht wat af met de verhalen van het kind. Verder is Siska ook duidelijk stressbestendig. Ze laat zich niet snel van de wijs brengen door onverwachte omstan-

digheden. Ook spontaan de tafel dekken of een handje toesteken in de keuken is voor Siska de normaalste zaak van de wereld.

Broertje Kylian (5) lijkt wel Siska's tegenpool. Hij is nogal gesloten en bedachtzaam en zal zelden zelf een gesprek beginnen. De moeder van Kylian en Siska probeert erop te letten dat ook Kylian de kans krijgt zijn verhaal te doen. Maar Kylian schijnt het niet erg te vinden dat zijn zus voortdurend aan het woord is. Als zijn ouders hem vragen om een karweitje te doen, komt daar heel wat discussie aan te pas voor hij uiteindelijk aan de slag gaat...

Hoe kunnen we de vijf brede persoonlijkheidsdomeinen nu precies hanteren? Eén mogelijkheid is om na te gaan hoe verschillende kinderen scoren op één bepaalde superfactor. We vergelijken dan hoe verschillende kinderen scoren op bijvoorbeeld extraversie. Kylian scoort bijvoorbeeld laag voor extraversie, zijn zus Siska hoog. Een andere mogelijkheid is na te gaan hoe de vijf superfactoren zich tot elkaar verhouden in één en hetzelfde kind. Siska is bijvoorbeeld heel extravert, scoort bij emotionele stabiliteit hoger dan gemiddeld en bij consciëntieusheid hoger dan gemiddeld. Uit onderzoek blijkt dat via deze benadering drie types kunnen worden onderscheiden. We spreken dan ook van drie persoonlijkheidstypes.

▸▸ 1. *Weerbaren, veerkrachtigen*

Weerbaren scoren hoog voor alle vijf de persoonlijkheidskenmerken. Ze zijn bijzonder veerkrachtig, wat betekent dat ze zich goed weten aan te passen aan verschillende situaties.

▸▸ 2. *Overcontrollers*

De *overcontrollers* scoren laag voor extraversie en emotionele stabiliteit. Ze missen veerkracht en neigen naar geremd, teruggetrokken gedrag zoals buikpijn, hoofdpijn of depressieve neigingen.

▸▸ 3. *Undercontrollers*

De *undercontrollers* scoren wel boven het gemiddelde voor extraversie, maar laag voor welwillendheid en consciëntieusheid. Ze hebben weinig zelfcontrole en neigen al snel naar impulsief, asociaal gedrag.

De impact van onze persoonlijkheid

Onderzoek heeft aangetoond dat er een duidelijk verband bestaat tussen het persoonlijkheidstype dat wordt vastgesteld op de leeftijd van drie jaar en de volwassen persoonlijkheid. Dat bevestigt opnieuw wat we in dit hoofdstuk eerder al beschreven over de stabiliteit van persoonlijkheid. Uit de Dunedinstudie bleek dat persoonlijkheidskenmerken die een kind vertoont op driejarige leeftijd in verband gebracht kunnen worden met de persoonlijkheid op zesentwintigjarige leeftijd. Dat illustreert duidelijk dat kinderen bij de geboorte geen onbeschreven blad zijn. Bovendien werden ook verbanden gevonden tussen persoonlijkheidskenmerken en gedragsproblemen op latere leeftijd. Kinderen die op jonge leeftijd door hun moeders worden beoordeeld als 'moeilijk', hebben zes tot tien keer meer kans op aandachtsproblemen en asociaal gedrag in de kindertijd. Het onderzoek naar opvoeden en gedragsproblemen toonde aan dat hoge scores voor asociaal gedrag bij kinderen samengaat met hogere scores voor extraversie en met lagere scores voor consciëntieusheid en welwillendheid.

Persoonlijkheid en opvoeding

Persoonlijkheidskenmerken hebben een invloed op tal van levensdomeinen. Zo beïnvloedt de persoonlijkheid niet alleen de partner- of de beroepskeuze, maar ook het opvoedingshandelen kunnen in verband gebracht worden met persoonlijkheidskenmerken. In hoofdstuk 3 hebben we de dans in vier stappen beschreven en aangegeven hoe reacties van ouders tot escalaties kunnen leiden. Uit het onderzoek naar opvoeding en gedragsproblemen blijkt dat ouders die laag scoren voor emotionele stabiliteit vaker heftig uitvallen tegen hun kinderen. In deze gezinnen wordt opmerkelijk meer 'gedanst'. Ouders die laag scoren voor vriendelijkheid, zijn ook vlugger geneigd tot uitvallen en overreageren. In hun gezinnen escaleren scheldpartijen nogal eens tot heuse conflictsituaties. Ouders die laag scoren voor consciëntieusheid, blijken vaak hoog te scoren voor laksheid in de opvoeding, en zijn minder consequent.

Uit ander onderzoek blijkt dat ouders die hoog scoren voor vriendelijkheid ook gevoeliger zijn in de omgang met hun kind. Deze voorbeelden maken duidelijk dat niet alleen de persoonlijkheid van het kind, maar ook de persoonlijkheid van de ouder een rol speelt in de opvoeding. Het samenspel tussen persoonlijkheid en opvoeding is zo belangrijk dat we er een volledig hoofdstuk aan zullen wijden.

Wat hebben we in dit hoofdstuk geleerd?

- We hebben de persoonlijkheid omschreven en gedefinieerd.
- Alle gelijkenissen en verschillen in persoonlijkheidskenmerken kunnen aan de hand van vijf superfactoren (*The Big Five*) gemeten worden.
- Persoonlijkheidskenmerken hebben een invloed op tal van levensdomeinen.

V •• EFFICIËNT OPVOEDEN, EEN KWESTIE VAN VRAAG EN AANBOD

Marijke en Jan hebben twee zonen, Rick (4) en Steve (6). Rick is een jongetje dat veel aandacht vraagt. Hij kan zijn aandacht nooit lang bij hetzelfde spelletje houden, en heeft de neiging om de haverklap ander speelgoed uit de kast te halen. Als hij eenmaal aan het spelen is, vraagt hij voortdurend om hulp. Niet omdat hij écht hulp nodig heeft. Marijke weet zeker dat hij eigenlijk geen hulp vraagt, maar weer aandacht zoekt. Marijke spreekt altijd eerst met Rick af waarmee hij zal spelen. 'Zal ik je de puzzel geven? Dan kun je hem maken. Als je klaar bent, kom ik kijken.' Maar na amper twee stukjes roept Rick al dat het hem niet lukt. 'Mama, je moet me helpen!' Maar als Marijke eenmaal bij Rick zit, merkt ze dat hij de puzzel heel gemakkelijk legt terwijl zij toekijkt. Broer Steve is helemaal anders. Hij kan zich urenlang bezighouden met blokken, boekjes en knutselspullen. Marijke hoeft hem nooit een spel voor te stellen. Steve weet uit zichzelf precies waarmee hij zal spelen. Marijke houdt hem ook in de gaten, en complimenteert hem regelmatig met de mooie dingen die hij maakt. Toch heeft ze soms de indruk dat ze haar oudste als het ware 'vergeet' omdat hij zo rustig en braaf speelt, terwijl de jongste haar voortdurend bezighoudt.

Cynthia en Wim hebben twee dochters, Catherine (7) en Sophie (4). Catherine is heel verlegen. Ze speelt alleen met andere kinderen als ze daartoe wordt aangezet. Als het aan haar lag, speelde ze altijd alleen. Ze heeft er ook een hekel aan om vrienden en kennissen van haar ouders gedag te moeten zeggen. 'Vooruit Catherine, geef eens een hand!' manen haar ouders haar regelmatig aan. Sophie is precies het tegenovergestelde. Ze geeft spontaan handjes en gooit zelfs kusjes naar mensen die ze nauwelijks kent, en is altijd even bereid om andere kinderen in haar spelletjes te betrekken. Sophies ouders vinden dat ze de grote openheid van hun dochtertje wat moeten temperen.

Rick en Steve hebben net als Catherine en Sophie dezelfde ouders. Dat betekent dat Rick en Steve op een bepaalde manier worden aangepakt door hun ouders, Marijke en Jan, en dat ook Cynthia en Wim zo hun manier hebben om de zusjes Catherine en Sophie op te voeden. Toch lopen de resultaten wel heel sterk uiteen, in allebei de gezinnen. De grote vraag is dus: hoe kan dat? In dit hoofdstuk willen we graag uitleggen waarom er geen kant-en-klare recepten bestaan om kinderen op te voeden. In hoofdstuk 3 hebben we geprobeerd uitvoerig uit te leggen hoe wederzijdse dwang tussen kinderen en ouders in zijn werk gaat. We hebben aangegeven dat ouders en kinderen elkaar beïnvloeden via de dans in vier passen. Vervolgens zagen we in hoofdstuk 4 dat alle kinderen verschillend zijn en hoe die verschillen beschreven kunnen worden. In dit hoofdstuk willen we uitleggen hoe de persoonlijkheid van een kind ervoor kan zorgen dat opvoeding niet bij alle kinderen hetzelfde effect heeft.

In het onderzoek naar opvoeding en probleemgedrag bij jonge Vlaamse kinderen werd een duidelijk verband gevonden tussen negatieve opvoeding (de dans in vier passen) en asociaal probleemgedrag.

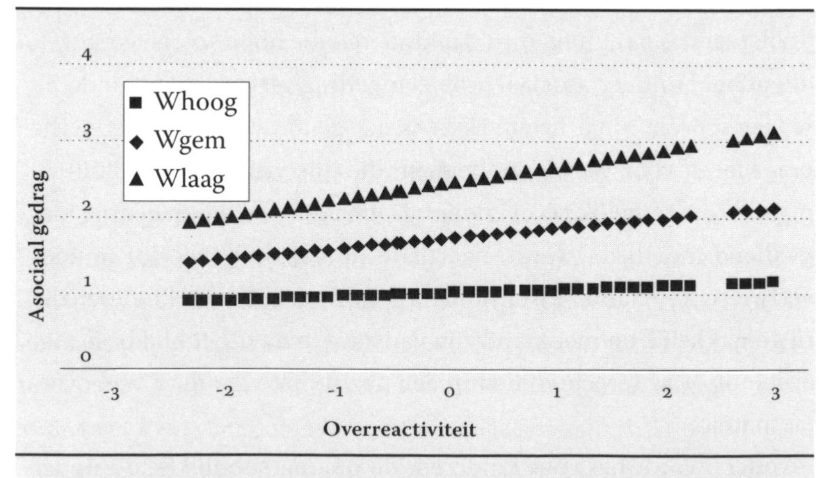

Figuur 1. *Het effect van opvoeden wordt meebepaald door kindkenmerken (uit het onderzoek naar opvoeden en gedragsproblemen).*

Maar er was meer. Het effect van opvoeding was niet voor alle kinderen gelijk. In figuur 1 wordt die bevinding weergegeven. Op basis van hun score voor welwillendheid werden deze kinderen ingedeeld in drie groepen. Kinderen met een gemiddelde score voor welwillendheid worden voorgesteld door een ruitje (◊). Kinderen met een hoge score voor welwillendheid worden voorgesteld met een vierkantje (□). Deze kinderen kunnen bestempeld worden als gemakkelijk in de omgang. Kinderen met een lage welwillendheidscore worden voorgesteld met een driehoekje (Δ). Deze kinderen zijn stugger, weerbarstiger in de omgang. Zij worden gekenmerkt door eigenschappen als koppigheid en geïrriteerdheid (zie ook vorig hoofdstuk). De verticale as geeft het asociaal probleemgedrag weer, oplopend van helemaal geen probleemgedrag tot ernstig probleemgedrag. Op de horizontale as kunnen we aflezen in welke mate ouders in de opvoeding overreageren (zie hoofdstuk 3). Met overreactiviteit wordt bedoeld: de mate waarin en de wijze waarop ouders boos worden op hun kinderen. Voorbeelden van overreactiviteit zijn schreeuwen, schelden, dreigen met een pak rammel, enzovoort. Een score van -3 betekent dat er in het gezin helemaal geen sprake is van overreactiviteit, een score van 3 betekent dat overreactiviteit binnen het gezin vaak voorkomt.

Allereerst blijkt uit figuur 1 dat kinderen die hoog scoren voor welwillendheid minder asociaal probleemgedrag vertonen dan kinderen die laag scoren. Maar belangrijker is dat de lijn van de kinderen die hoog scoren voor welwillendheid, en die dus vrij gemakkelijk in de omgang zijn, tamelijk vlak verloopt. Dat betekent dat hun gedrag niet opvallend moeilijker wordt, naarmate hun ouders meer of minder overreactiviteit hanteren. Of, anders geformuleerd: voor kinderen die vrij gemakkelijk en meegaand zijn van aard, maakt het blijkbaar niet zoveel uit of ze terechtkomen in een gezin met weinig of veel overreactiviteit.

Anders wordt het voor kinderen die qua persoonlijkheid minder welwillend zijn. Als ze in een gezin opgevoed worden waar er nauwelijks of geen overreactiviteit is, zullen ook zij vrij laag blijven scoren voor probleemgedrag. Als die kinderen echter opgroeien in een gezin waar overreactiviteit met de regelmaat van de klok voorkomt, neemt het problematische asociale gedrag ook zienderogen toe. Dat wordt voorgesteld door de steile helling van de driehoekjes.

Weer anders geformuleerd: een lage score voor welwillendheid is een soort van risicofactor voor de ontwikkeling van asociaal probleemgedrag, terwijl een hoge score voor welwillendheid juist een beschermende factor of een buffer blijkt te zijn.

Het zou best kunnen dat kinderen die van nature eerder meegaand (welwillend) zijn, ook gemakkelijker zijn op te voeden. Kinderen die in hun genetische materiaal al behoorlijk wat tegendraadsheid hebben zitten, die dus van nature moeilijker zijn, maken het de ouders niet makkelijk. Deze resultaten maken duidelijk dat opvoeding niet voor elk kind hetzelfde effect heeft.

Vraag en aanbod

In de economie is een evenwicht tussen vraag en aanbod de ideale situatie. Maar dat geldt niet alleen voor de economie... Uit het gedrag van een kind is af te leiden welke pedagogische vraag het kind stelt. Ouders bieden hun kind een bepaalde opvoeding. Een perfect evenwicht tussen wat het kind 'vraagt' en wat de ouders 'bieden', is dus ideaal. Een voorbeeld kan dat verduidelijken. Sommige kinderen zijn druk, springen van de hak op de tak en gaan impulsief allerlei uitdagingen aan. De 'vraag' van die kinderen is: geef mij een duidelijke, stevige structuur. Andere kinderen zijn weer meer teruggetrokken en verlegen, en trekken zich helemaal terug in zichzelf als ze door prikkels overspoeld worden. Zij vragen meer motivatie en ondersteuning, en zijn vooral gebaat bij een veilig en rustig, maar stimulerend klimaat. Net als in de economie is het dus ook bij het opvoeden vooral een kwestie om de vraag van het kind en het aanbod van de ouder op elkaar af te stemmen. Omdat de vraag van een kind kan veranderen naarmate het opgroeit, blijft dat op elkaar afstemmen een opgave die lang niet altijd voor de hand ligt. Heel wat genetisch materiaal wordt van ouder naar kind doorgegeven. Dat betekent dus dat tamelijk rustige, geduldige ouders vaker rustige, geduldige kinderen hebben. Maar dat betekent ook dat kinderen van licht ontvlambare ouders zelf ook vaak nogal heetgebakerd zijn. Het is dan ook niet te verwonderen dat juist in deze gezinnen de overreactiviteit vaak aan de hoge kant is, wat kan leiden tot escalaties bij de kinderen. In deze gezinnen is er met andere woorden weinig of geen sprake van een juist op elkaar afstemmen van vraag en aanbod...

In hoofdstuk 3 hebben we beschreven hoe opvoeding moeilijk gedrag in de hand kan werken of kan versterken. Uit hoofdstuk 4 hebben we onthouden dat een kind bij de geboorte geen onbeschreven blad is. In dit hoofdstuk hebben we met onderzoeksresultaten geïllustreerd dat opvoeding niet voor alle kinderen hetzelfde effect heeft en dat sommige kinderen van nature moeilijker zijn dan anderen. Dat leert ons dat niet al het moeilijke gedrag zomaar te wijten is aan een tekortschietende opvoeding. Net omdat een kind geen onbeschreven blad is, mogen we niet zomaar de ouders de schuld geven. Bovendien begrijpen we inmiddels ook dat de persoonlijkheidskenmerken relatief stabiel zijn en ervoor zorgen dat gedrag slechts tot op zekere hoogte te veranderen is. Gedrag is vooral het resultaat van een complexe wisselwerking tussen aanleg en omgeving. Voordat we die wisselwerking gaan bespreken, willen we eerst enkele misverstanden uit de weg ruimen.

Hoe zwaar wegen aanleg en omgeving door in de balans...?

Ieder mens heeft wel ergens aanleg voor, maar 'aanleg hebben voor' betekent niet hetzelfde als 'voorbestemd zijn tot'... Met andere woorden: het is natuurlijk niet zo dat elke aanleg ook echt moet of zal worden omgezet in daden. Een kind kan bijvoorbeeld behoorlijk dominant zijn, maar dat betekent nog niet dat het later een echte dictator wordt.

Dat kinderen bij hun geboorte aanleg hebben voor bepaald gedrag, betekent dus niet dat ze gedetermineerd zijn tot dat gedrag, of dat er geen invloed van de omgeving mogelijk is. Volgend voorbeeld kan dat verduidelijken…

De lengte van een kind is een kenmerk dat vooral genetisch bepaald is. Er bestaat een formule waarbij aan de hand van de lengte van de vader en de lengte van de moeder vrij nauwkeurig berekend kan worden hoe groot een kind zal worden. Toch betekent dat niet dat de omgeving geen invloed kan hebben op dat genetisch bepaalde kenmerk. Tijdens de eerste vijftig jaar van de vorige eeuw is bijvoorbeeld de gemiddelde lengte van jongens in Londen met twaalf centimeter toegenomen. De verklaring daarvoor is te vinden in de kwaliteitstoename van de voeding. Voeding heeft helemaal niets met onze genetische samenstelling te maken, en is duidelijk een externe factor. Dit voorbeeld illustreert hoe de omgeving een sterke invloed kan uitoefenen op kenmerken of eigenschappen die vooral door aanleg worden bepaald. Een tweede misvatting is dat de effecten van een bepaalde omgeving, in tegenstelling tot de aanleg of de persoonlijkheid, wél gemakkelijk te veranderen zijn. Niets is minder waar. Dat de invloed van de omgeving niet zomaar kan worden veranderd, blijkt uit het volgende voorbeeld. Het accent dat iedereen meekrijgt in de moedertaal die hij spreekt, wordt bepaald door de omgeving waarin we opgroeien. Zo horen landgenoten die dezelfde taal spreken, vaak feilloos uit welk deel van het land iemand afkomstig is. Ons accent, en eventueel zelfs ons dialect, wordt bepaald door de omgeving, en die zijn niet zomaar te veranderen. Dit voorbeeld illustreert hoe omgevingsfactoren een beklijvende invloed kunnen uitoefenen.

Geen kwestie van of/of

Mensen vragen zich weleens af wat het belangrijkste is: aanleg of omgeving. Bij jonge kinderen blijkt de omgeving zwaar door te wegen. Een kind dat bijvoorbeeld kort na de geboorte in een omgeving terechtkomt waar het onvoldoende voeding krijgt, zal een mentale achterstand oplopen die nooit meer goed te maken is. Als hetzelfde kind in een omgeving was terecht gekomen waar er geen sprake was van ondervoeding, was er geen vuiltje aan de lucht geweest. Onderzoek lijkt aan te geven dat bij het ouder worden de aanleg zwaarder doorweegt. Een kind dat bijvoorbeeld graag leest, maar thuis niet de kans krijgt om veel te lezen, zal op latere leeftijd zelf wel de weg naar de bib vinden, en dus zelf voorzien in zijn behoefte aan lectuur. Hoe ouder we worden, hoe meer we zelf keuzes kunnen maken. Op die manier kan een individu een omgeving creëren die zo goed mogelijk aansluit bij zijn of haar aanleg.

De laatste jaren wordt steeds duidelijker dat de vraag niet zozeer luidt: 'Wat is belangrijker: aanleg of omgeving?' maar wel: 'Hoe kunnen aanleg en omgeving op elkaar inwerken?'

Het complexe samenspel van de persoonlijkheidsfactoren en de opvoeding

Onderzoek wijst uit dat asociaal gedrag als het ware wordt voorspeld door weerspannigheid, gebrekkige zelfcontrole en negatieve emotionaliteit op jonge leeftijd. De centrale vraag is dan ook hóe die kenmerken bijdragen tot het negatieve gedrag.

Persoonlijkheid en omgeving handelen niet onafhankelijk van elkaar, maar werken voortdurend op elkaar in. Een verkenning van de onderzoeksliteratuur leert dat die wisselwerking tussen persoonlijkheid en omgeving via zes verschillende mechanismen kan worden verklaard. We zetten ze op een rijtje...

▸▸ *1. Leren en leren is twee*

Sander (5) is een rustig en lief jongetje. Hij weet zichzelf meestal prima te vermaken, en is alleen weleens lastig als hij moe is. Zijn ouders gaan op een heel ontspannen manier met hem om. Hij krijgt veel aandacht bij wat hij de hele dag door zoal onderneemt. Zijn ouders stimule-

ren zijn creativiteit en gaan in op al zijn vragen. Ruzie is er zelden. Meningsverschillen worden in het gezin meestal snel uitgepraat en wie echt van streek is, gaat een tijdje afkoelen op zijn kamer.

Marie-Hélène (5) is in vergelijking met Sander een echte driftkikker. Zij is heel snel van streek en huilt vaak van boosheid. Op school heeft ze weinig vriendinnetjes en maakt ze vaak ruzie. Als ze in de klas haar zin niet krijgt, wordt ze kwaad. Haar moeder is eigenlijk een beetje hetzelfde. Huilen doet zij niet vaak, maar schreeuwen doet ze meerdere keren per dag. Omdat de deur is blijven openstaan bijvoorbeeld, omdat Marie-Hélène niet opruimt, niet luistert, niet eet... Wat de moeder van Marie-Hélène ook probeert, het lijkt allemaal niets uit te halen.

Onderzoek toont aan dat persoonlijkheidsfactoren invloed hebben op leerprocessen. Daarmee bedoelen we niet alleen letterlijk wat kinderen in de klas leren bijvoorbeeld, maar ook en vooral wat kinderen leren uit wat ze voortdurend ervaren en meemaken, hoe ze zich leren gedragen. Zoals we geïllustreerd hebben aan de hand van onderzoeksresultaten, kunnen (verschillende) kinderen in identieke situaties toch zeer verschillende dingen leren en ervaren. Zo is het ene kind bijvoorbeeld gevoeliger voor een dreigende straf terwijl een ander kind vooral gefocust is op een mogelijke beloning. Onderzoekers vermoeden dat hier biologische factoren meespelen, die maken dat sommige kinderen inderdaad meer oog hebben voor een mogelijke beloning en minder gevoelig zijn voor straf, en dat andere kinderen zich inderdaad veel meer laten afschrikken door de straf die op bepaald gedrag kan volgen. Sommige kinderen gaan impulsief recht op hun doel af omwille van de beloning of de winst, terwijl andere kinderen uit schrik voor straf of omdat ze vooral hun ouders niet willen teleurstellen hun gedrag beter onder controle kunnen houden. Concreet betekent dat ook dat het uitdelen van een identieke straf niet bij alle kinderen hetzelfde effect heeft! Dat kan meteen ook verklaren waarom kinderen die asociaal gedrag vertonen, bijzonder gevoelig zijn voor beloningen, terwijl straf hen nauwelijks lijkt te deren...

▸▸ 2. Het bloed onder de nagels vandaan...

Kim (12) werd als baby van twintig weken uit Cambodja geadopteerd door Karen en Donald. Zijn adoptieouders zijn rustige, geduldige mensen, een sterk paar dat voor de komst van Kim zelden ruziemaakte. Sinds de adoptie van Kim echter, en dan vooral sinds de laatste vier jaar, zijn de spanningen in hun gezin langzaam maar zeker toegenomen. Kim bleek een huilbaby te zijn en heeft een hechtingsstoornis. Hij is altijd al een moeilijk jongetje geweest en is op school vaak betrokken in vechtpartijen. Hij treitert zijn ouders soms ook zo dat vooral zijn vader af en toe buiten zichzelf raakt van woede. Kims adoptievader herkent zichzelf dan niet meer, zoals hij het zelf uitdrukt, en is bang omdat Kim, zijn eigen zoon, het slechtste in hem naar boven dreigt te halen. Hij geeft toe dat hij Kim al eens een pak rammel heeft gegeven, terwijl hij dat echt nooit van zichzelf zou hebben verwacht! Een zoektocht naar informatie over Kims biologische ouders bracht onlangs aan het licht dat zijn biologische vader veroordeeld is voor verschillende delicten.

Kinderen zijn wel degelijk in staat om bepaald gedrag aan hun ouders te ontlokken. Zo blijkt uit onderzoek bij adoptiekinderen dat kinderen die een zekere aanleg hebben voor asociaal gedrag, meer kans hebben op ernstige conflicten met hun adoptiefouders. Dat in tegenstelling tot kinderen die geen aanleg hebben voor asociaal gedrag.

De invloed van iemands persoonlijkheid reikt dus verder dan de leerprocessen. Kinderen met bepaalde kenmerken kunnen ook bepaald gedrag bij hun ouders ontlokken. Zo spelen persoonlijkheidskenmerken een rol in hoe iemand benaderd wordt door anderen. Sebastiaan (6) is bijvoorbeeld een lief en timide jongetje met een zachte uitstraling. Het is duidelijk dat hij vriendelijker en vaker benaderd wordt dan Charlotte (6), die niet op haar mondje is gevallen, er een beetje stuurs uitziet en ook wat mollig is. Al tijdens de eerste levensmaanden kunnen persoonlijkheidskenmerken van het kind reacties bij anderen ontlokken. Ouders of verzorgers reageren op persoonlijkheidskenmerken die via verbaal en niet-verbaal gedrag geuit worden. Zo kunnen gelaatsuitdrukkingen of niet-verbale signalen 'vertellen' of een kind contact zoekt, al of niet gemakkelijk boos wordt en kan volhouden. Denk maar aan kinderen die zuchten wanneer ze een opdracht krijgen.

▸▸ 3. *Ik bekijk de wereld door één bepaalde bril*

En het is de persoonlijkheid die bepaalt welke bril dat is... Van die bril hangt af hoe een kind zijn omgeving en de mensen om hem heen interpreteert. Sommige kinderen hebben er meer moeite mee om hun impulsen onder controle te houden dan anderen. Die verschillen kunnen bijvoorbeeld de aandacht en de concentratie bij opdrachten in de klas beïnvloeden. Dat kan verklaren waarom school voor sommigen een uitdagende ervaring is en voor anderen vooral getekend wordt door frustratie.

Denk maar even terug aan het voorbeeld in hoofdstuk 1 waarin we de reactie beschreven van een overstekend kind op een toeterende auto. Sommige kinderen zullen boos reageren op de toeterende auto omdat ze denken dat het getoeter voor hen is bestemd omdat ze niet snel genoeg de straat oversteken. Anderen reageren minder impulsief en zien dat de chauffeur toeterend een vriend begroet. Een kind dat snel geërgerd en boos reageert, ervaart het leven wellicht heel anders dan een rustig kind. Individuele verschillen in persoonlijkheid spelen een rol in hoe prikkels verwerkt of geïnterpreteerd worden. Uit onderzoek blijkt dat kinderen die asociaal gedrag vertonen, eerder vijandige intenties toekennen aan het gedrag van anderen dan kinderen die geen asociaal gedrag vertonen.

▸▸ 4. *Ik kijk en vergelijk*

Met het ouder worden gaan kinderen steeds meer in de spiegel kijken om te zien hoe ze door de tijd al dan niet veranderd zijn. Hun identiteit wordt steeds belangrijker, dus ze bekijken zichzelf en anderen uitvoeriger. Dat betekent dat ze zich steeds vaker vergelijken met andere kinderen. Op school komen kinderen in contact met steeds meer andere kinderen en leeftijdsgenoten, ze nemen deel aan steeds meer gestructureerde activiteiten, en worden door steeds meer volwassenen geëvalueerd aan de hand van strikte regels.

Onderzoek toont aan dat verschillen in persoonlijkheid een invloed hebben op die vergelijkingsprocessen. Zo zijn de angstigere en meer teruggetrokken kinderen met het ouder worden steeds meer geneigd zichzelf als minder competent te zien dan hun leeftijdsgenoten. In hun beleving vinden ze steeds meer dat andere kinderen altijd alles beter kunnen... Asociale kinderen echter overschatten hun sociale vaardigheden in vergelijking met andere kinderen.

▸▸ 5. *Soort zoekt soort*

Fran (4) is een timide meisje met veel fantasie. Ze speelt het liefste alleen, en lijkt weinig behoefte te hebben aan contact met andere kinderen. Wat er in de rest van het gezin of de klas gebeurt, heeft ze niet altijd in de gaten; ze zit vaak te dromen. Haar ouders zijn haar vaak 'kwijt'. Dan is Fran naar haar kamer gegaan, waar ze urenlang verhaaltjes vertelt aan haar poppen, of kleurt en knutselt. Frans ouders maken zich weleens zorgen. Hun dochter levert hen niet echt problemen op, maar ze is wel erg vaak alleen. Fran maakt nochtans een tevreden en rustige indruk.

Soms gaan kinderen echt zelf op zoek om een omgeving te creëren die het beste aansluit bij hun persoonlijkheidskenmerken. Met het ouder worden kunnen kinderen ook steeds beter zelf keuzes maken en voorkeuren laten blijken. Dat kan de persoonlijkheidskenmerken nog meer versterken. Ouder worden betekent meer tijd buitenshuis doorbrengen, en meer vrije keuzes hebben. Kiezen met wie wordt omgegaan, kiezen voor een bepaalde studie, een beroep, een partner: het komt er allemaal bij. Iemand kiest situaties die het beste aansluiten bij de eigen persoonlijkheid. Zo blijkt uit onderzoek dat asociale kinderen meer geneigd zijn om vrienden op te zoeken die delinquent gedrag vertonen. Dat leidt tot bendevorming en verhoogt de kans op een 'asociale loopbaan'.

▸▸ *6. Manipulatie: Hé, ze luisteren naar mij!*

Met het ouder worden slagen kinderen er steeds beter in de omgeving te veranderen of te manipuleren. Zeker wanneer ze hun eigen gedrag beter leren beheersen en hanteren, en de drijfveren van anderen leren onderscheiden. Afhankelijk van hun persoonlijkheid zijn bepaalde kinderen meer in staat om andere kinderen te beïnvloeden of zelfs te manipuleren en te domineren. Wie hoog scoort bij dominantie is vaardig in het overtuigen van anderen dat hij een goede leider is, en trekt dus alle macht naar zich toe. Jongeren die laag scoren op vriendelijkheid ervaren niet alleen meer interpersoonlijke conflicten, maar hanteren zelf vaker asociaal gedrag om conflicten op te lossen.

Bepaald gedrag kan wel, ander gedrag niet

Beweren dat een kind 'stout' of 'moeilijk' wordt geboren, is een beetje sterk uitgedrukt, maar na het lezen van dit hoofdstuk begrijpen we wel dat opvoeding niet voor alle kinderen hetzelfde effect heeft. Verschillende kinderen binnen één enkel gezin mogen dan wel dezelfde opvoeding krijgen, het is de persoonlijkheid van het kind die mee zal bepalen hoe een kind zal evolueren en zich zal ontwikkelen. Persoonlijkheidskenmerken kunnen zowel een risicofactor als een beschermende factor zijn voor de ontwikkeling van problemen. Het ontstaan van moeilijkheden en moeilijk gedrag is nooit enkel en alleen het gevolg van óf een moeilijke persoonlijkheid, óf problemen in de omgeving van je kind, maar wel van een wisselwerking tussen de twee.

Hoe je het dus ook aanpakt, je zult van je ietwat bazige kind bijvoorbeeld nooit een mak en meegaand lammetje kunnen maken. Voor veel ouders zal dat wellicht een hele troost en een opluchting betekenen. Want dat een kind moeilijk doet, is dus zeker niet altijd en alleen 'gewoon de schuld van zijn ouders'! Ouders kunnen dan ook vaak onterecht gebukt gaan onder schuldgevoelens, omdat ze het blijkbaar helemaal verkeerd doen met hun 'moeilijke kind'.

Betekent dat dat ouders hulpeloos moeten toekijken hoe hun kind steeds vaker moeilijk gedrag gaat vertonen? In geen geval! Uit het overzicht van de wisselwerking tussen aanleg en omgeving blijkt dat bij alle zes de mechanismen de omgeving een rol speelt. Ofwel reageert het kind op prikkels die door de omgeving worden aangereikt (straf of beloning bijvoorbeeld), ofwel is de omgeving de uitkomst die tot op zekere hoogte door het kind gecreëerd wordt. De volgende beeldspraak vat dit hele hoofdstuk samen en geeft aan hoe we de invloeden van aanleg en omgeving het beste kunnen zien. Bij hun geboorte hebben kinderen als het ware een rugzakje bij zich, waarin een hele serie bouwblokken zitten. Die bouwblokken kunnen we vergelijken met de persoonlijkheidsfactoren, en ze zullen mee bepalen hoe hun leven er zal uitzien. Aan die bouwblokken op zich valt weinig of niets te veranderen; ze zijn wat ze zijn. Scherpe kantjes kunnen misschien wat bijgevijld worden, maar een introvert kind dat liefst op zichzelf is, zal zelden een extravert kind worden dat bij iedereen zijn verhaal kwijt wil. Maar hoe die bouwblokken in elkaar worden gezet, daar zijn dan weer wel heel wat mogelijke variaties voor denkbaar. Afhankelijk van het milieu waarin het kind terechtkomt, van de gebeurtenissen die het kind meemaakt, en de opvoeding die het krijgt, zal een bepaalde aanleg al dan niet omgezet worden in gedrag. En precies hier kan wél al vroeg worden ingegrepen. Een kind dat voortdurend uit is op nieuwe prikkels, heeft de mogelijkheid om te leren dat dergelijk gedrag wel kan, maar binnen bepaalde grenzen. Dat kind zal moeten leren dat er nu eenmaal regels zijn die gerespecteerd moeten worden, maar dat er daarbinnen best mag worden geëxperimenteerd. Ouders of hulpverleners kunnen hun steen(tje) bijdragen aan de manier waarop de bouwblokken uit het rugzakje in elkaar worden gezet. Wat het karakter van je kind ook is, hoe actief, ondernemend, dwars of meegaand het ook is, je kind moet leren dat er veel kan en mag, maar dat niet alles aanvaardbaar is. Bepaald gedrag kan, maar wel binnen bepaalde grenzen. Het aanbrengen van die grenzen is een heel belangrijke taak voor jullie als ouders.

Wat hebben we in dit hoofdstuk geleerd?

- Opvoeding heeft niet voor alle kinderen hetzelfde effect. Persoonlijkheidskenmerken spelen daarbij een belangrijke rol.
- Een goede opvoeding is de opvoeding die het beste aansluit bij de specifieke vraag van het kind.
- Aanleg betekent niet: gedetermineerd. Omgeving betekent niet: gemakkelijk te veranderen.
- Persoonlijkheidsfactoren en omgevingsfactoren (zoals opvoeding) werken voortdurend op elkaar in. We hebben zes processen beschreven die die wisselwerking kunnen verklaren.

VI •• EFFICIËNT BELONEN EN STRAFFEN: HULPMIDDELEN OP WEG NAAR GEWENST GEDRAG

Als je uit het vorige hoofdstuk één ding hebt geleerd, dan is dat wellicht dat er geen kookboek bestaat met een verzameling doeltreffende recepten om het moeilijke gedrag van je kind weg te toveren. Het zou geweldig zijn natuurlijk, als je met behulp van enkele recepten en een jaar of achttien flink roeren, je kind tot de perfecte volwassene kon kneden. Maar zo werkt het natuurlijk niet. Je timide, ietwat verlegen dochtertje, zal in gezelschap waarschijnlijk nooit een haantje-devoorste worden. Je levendige, behoorlijk impulsieve zoontje zal waarschijnlijk nooit de rust zelve worden.

In het vorige hoofdstuk legden we al uit dat opvoeding voor verschillende kinderen een verschillend effect kan hebben. Daaruit volgt dat het moeilijk, zelfs onmogelijk is om algemene opvoedingsadviezen te geven. Omdat ouders echter vaak laten blijken dat ze op zoek zijn naar tips, willen we in dit hoofdstuk toch enkele adviezen formuleren. Je zult merken dat het gaat om tips die min of meer af te leiden zijn uit wat we in de vorige hoofdstukken besproken hebben. Het zijn overigens allemaal adviezen en tips die bij behandelingsprogramma's een centrale plaats innemen en waarvan onderzoek heeft aangetoond dat ze effect hebben bij kinderen die asociaal gedrag vertonen. Ter illustratie geven we iedere keer een voorbeeld.

Zonder te willen beweren dat opvoeding te herleiden is tot belonen en straffen, zullen we er in dit hoofdstuk toch erg de nadruk op leggen. Efficiënt belonen en waar nodig straffen zijn immers belangrijke hulpmiddelen als je gewenst gedrag wilt versterken en moeilijk gedrag wilt voorkomen of bijsturen. Misschien zullen de adviezen er op het eerste gezicht heel eenvoudig uitzien. Nu, dat zijn ze ook... althans op papier. Het wordt echter heel anders als je ze consequent in het alledaagse leven moet toepassen!

Toch is het best mogelijk dat je tijdens het doornemen van dit hoofdstuk af en toe denkt: 'Hé, dat doe ik al!' Dan kunnen we je alleen maar feliciteren met je goede aanpak en je motiveren om vooral zo door te gaan!

I. Belonen: altijd te verkiezen boven straffen!

Voorkomen is beter dan genezen! Aandacht voor het positieve is sterker en gemakkelijker uit te voeren dan correctie van het negatieve. Belonen is heel belangrijk, want het kan mee voorkomen dat je moet straffen. Het versterken van positief gedrag werkt preventief tegen het uitproberen van storend gedrag. Je herinnert je uit hoofdstuk 3 ongetwijfeld nog wel dat gedrag toeneemt als het bevestigd, bekrachtigd of versterkt wordt. Kinderen vertonen moeilijk gedrag omdat ze daarvoor (af en toe) beloond worden, bijvoorbeeld met aandacht, of omdat ze daarmee iets vervelends, of iets wat inspanning vraagt, kunnen vermijden. Het zijn vooral de gevolgen van het gedrag die bepalen of gedrag zal toenemen of afnemen. Een prettig gevolg zorgt voor toename van het gedrag. Geen reactie of een onprettige reactie doet gedrag afnemen. Het is dus zaak om positief gedrag te belonen! Positieve aandacht werkt als een aanmoediging en zorgt ervoor dat gedrag herhaald en geoefend wordt. Vaak loopt het hier mis in gezinnen met problemen. De vele conflicten vergen zoveel energie dat ouders onvoldoende of geen oog meer hebben voor het gewenste gedrag van hun kind.

▸▸ ** BELONEN = AANDACHT GEVEN!*

Freek (5) zit al een hele tijd rustig te spelen met zijn nieuwe knikkerbaan. Zijn moeder vindt dat prima, en wil hem vooral niet storen, in de hoop dat hij nog een tijdje blijft spelen, zodat zij nog een paar klusjes kan klaren. Maar na enkele minuten vraagt Freek of ze wil helpen zoeken naar een knikker. Vervolgens wil hij dat zijn moeder mee gaat spelen. Als ze dat niet wil, rolt hij de knikkers naar de keuken.

Positieve aandacht is voor je kind een belangrijke vitamine. Net zoals vitamines noodzakelijk zijn voor het onderhoud en een goede functionering van het lichaam, zo is positieve aandacht van levensbelang voor het welbevinden van kinderen (en volwassenen). Als kinderen geen positieve aandacht krijgen, hengelen ze net zo goed naar negatieve aandacht, zoals kritiek en opmerkingen. Voor kinderen die moeilijk gedrag vertonen en weinig complimentjes krijgen voor hun positieve gedrag, is negatieve aandacht beter dan helemaal geen aandacht! Kinderen willen vooral voorspelbare uitkomsten. Vaak weten ze uit ervaring dat ze via storend gedrag hoe dan ook aandacht kunnen krijgen. Het verbeteren van de kwaliteit van de aandacht is een belangrijke stap bij trainingsprogramma's voor ouders. Al is het op zichzelf niet voldoende om gedragsproblemen te verminderen, het is wel een noodzakelijke basisvoorwaarde.

Soms vergeten ouders hun kinderen weleens als ze braaf en rustig zijn. Maar ook dan, of misschien zelfs júist dan moet je ze bevestiging geven! Omdat Freek uit het voorbeeld lang alleen moet spelen en geen aandacht krijgt, is de kans groot dat hij al snel naar aandacht zal hengelen. En dan is het uit met de rust. De moeder van Freek zou hem veel beter af en toe kunnen vertellen hoe blij ze is dat hij zo braaf speelt en haar rustig verder laat werken. Het schenken van positieve aandacht wanneer je kind gewenst gedrag vertoont, zorgt ervoor dat je bijvoorbeeld kunt telefoneren, de krant kunt lezen of kunt praten met volwassenen zonder dat je kind om de haverklap stoort. Een oefening die mogelijkheden te over biedt om je kind positieve aandacht te schenken, is samen spelen. Neem je tijd en laat je kind je meenemen in zijn of haar spel. Het is niet de bedoeling dat je je kind stuurt, laat het gewoon spelen. Als een verslaggever kun je ondertussen wel voortdurend zeggen wat je ziet. 'O, wat een mooie toren!' of 'Wat ben jij lief voor je pop!' Door zo samen te spelen geniet het kind van de positieve aandacht. De sfeer wordt heel prettig, en een prettige sfeer nodigt uit om je kind met een complimentje te belonen. Op die manier volgen de positieve interacties elkaar op. Je kunt dat in het dagelijkse leven ook toepassen door gevoelig te zijn voor al die kleine momenten van rechtstreeks contact tussen jou en je kind. Probeer je kind te 'betrappen' op goed gedrag en laat duidelijk merken dat je blij bent als het er positief en fijn aan toe gaat tussen jullie beiden. Dat leidt tot een verbetering van de relatie met je kind en vergroot het positieve zelfbeeld van je kind. Op termijn kun je dat ook meerdere malen per dag oefenen met eenvoudige 'pakopdrachten' zoals 'geef me dat bord eens aan' of 'ga eens een handdoek halen'. Elke keer als je kind de opdracht goed uitvoert, prijs je het en kun je zeggen dat je het fijn vindt dat je kind zo goed luistert en doet wat je vraagt. Deze kleine gehoorzaamheidstraining leidt er op termijn toe dat je kind beter luistert als je iets vraagt.

▸▸ ** ZEG HET ONMIDDELLIJK ALS JE IETS GOED VINDT*

De moeder van Jules (4) wil de keuken schoonmaken. Ze spreekt met haar zoontje af dat hij in de woonkamer met de blokken mag spelen zolang zij in de keuken bezig is. De afspraak is dat Jules mama niet lastigvalt. Af en toe komt ze kijken. Ze prijst Jules omdat hij zo braaf speelt en zij zo goed kan doorwerken. En die hoge toren, die wil ze straks weleens komen bezoeken...

De moeder van Jules kan het schoonmaken dus best van tijd tot tijd eventjes onderbreken om Jules te vertellen dat ze het heel fijn vindt dat hij haar zo goed laat doorwerken.

Zeg je kind dus eerst en vooral wat het moet doen zolang je bezig bent, en vergeet vervolgens niet om je bezigheid af en toe te onderbreken om je kind te vertellen dat je blij bent dat het je niet stoort. Een concreet complimentje is veel efficiënter dan een algemeen complimentje. Zo leert je kind welk gedrag op prijs wordt gesteld. Ook wanneer een kind uit zichzelf een vaste taak uitvoert of zich aan een huisregel houdt, is het belangrijk om onmiddellijk positieve aandacht te schenken. Daardoor neemt de kans toe dat je kind zich taakjes en regels eigen maakt en zich er in de toekomst aan houdt.

▸▸ * *Werk in kleine stapjes*

Kamil (5) maakt van de maaltijden thuis steevast een puinhoop. Hij eet nauwelijks, maar zit voortdurend met zijn vork in het eten te prakken, maakt ruzie met zijn broer, die tegenover hem zit, en gooit zijn eten vaak ook op de grond als de hond in de buurt is. Kamil zit ook nooit langer dan vijf minuten op zijn stoel. Terwijl de rest van het gezin nog maar net aan de maaltijd is begonnen, begint Kamil op zijn stoel op en neer te wippen, loopt rondjes rond de tafel en leidt zijn broer en zus voortdurend af.

De ouders van Kamil zouden kunnen beginnen om hun zoon te leren aan tafel te blijven door hem een soort 'aanmoedigingspremie' te geven. Als Kamil de hele tijd aan tafel blijft zitten, krijgt hij bijvoorbeeld een extra verhaaltje voor het slapengaan. Door die beloningen zal Kamil het positieve gedrag (blijven zitten) aanleren. In een volgende fase zou dan gewerkt kunnen worden aan het eten zelf. Niet meteen het hele bord leeg, maar een paar hapjes, bijvoorbeeld. Door flink wat aanmoedigingen tussendoor wordt meteen ook de hele sfeer wat prettiger.

▸▸ * *Geschikte beloningen op het beste moment*

Pieterjan (7 jaar) speelt met zijn trein terwijl zijn vader de krant leest. Af en toe kijkt deze op van zijn krant om de conducteur te vragen of er veel passagiers langskomen vandaag. 'Wat ben jij een vriendelijke conducteur, zeg. Waar rijdt de trein heen? Straks koop ik een kaartje, want ik wil met jouw mooie trein op reis gaan.'

Kinderen die geregeld moeilijk doen, zijn vaak ook moeilijker te bewegen tot het opvolgen van regels en het uitvoeren van opdrachten dan 'gewone' kinderen. Om hen toch aan te sporen tot het gewenste gedrag, hebben zij veel duidelijkere gevolgen nodig. Een echte beloning op zijn tijd is dus zeker aan te bevelen. Maar wat is een goede beloning?

We willen in elk geval het belang van sociale en verbale beloningen benadrukken. Probeer creatief te zijn in het bedenken van beloningen die 'gratis' zijn. Als ouder ken je je kind het beste en weet je ongetwijfeld waar je kind heel blij mee is. Sociale beloningen hebben het voordeel dat ze niets kosten, langer vol te houden zijn, en op termijn ook meer effect hebben. Ze vragen natuurlijk wel wat energie, aandacht en tijd, maar een schouderklopje, een knuffel of een fietstochtje met het hele gezin zijn veruit de krachtigste beloningen! In tabel 1 geven we enkele voorbeelden van krachtige sociale en verbale beloningen.

Kinderen die problemen hebben met zelfcontrole en impulsief gedrag, zijn vaak minder gevoelig voor sociale beloningen dan andere kinderen (zie hoofdstuk 5). Een toename van positieve aandacht voor gewenst gedrag is vaak niet voldoende om het gedrag te veranderen. Een extra manier om het moeilijke gedrag van je kind toch bij te sturen of om nieuwe vaardigheden te verwerven, is het invoeren van een beloningssysteem. Dat systeem kan gebruikt worden bij kinderen vanaf vier jaar wanneer prijzen of positieve aandacht schenken niet voldoende zijn om het kind positief gedrag te laten vertonen. De bedoeling van een beloningssysteem is het kind te motiveren tot het wél vertonen van gehoorzaam gedrag. Kenmerkend voor dit systeem is dat het voor het kind duidelijk wordt wat het kan verdienen en waarmee. Een dergelijk systeem maakt het mogelijk om onmiddellijk op te treden, waardoor het effect groter wordt. Bovendien is het overal toepasbaar en kunnen de afspraken duidelijker vastgelegd worden.

Het hanteren van een beloningssysteem is uiteraard niet hetzelfde als het creëren van een complete boekhouding van wat je kind al dan niet gedaan heeft, en wanneer! Het is belangrijk om het beloningssysteem in het begin te gebruiken voor de aanpak van één bepaald gedrag dat je wilt veranderen. Na verloop van tijd kunnen er eventueel enkele storende gedragingen aan toegevoegd worden. Als je het gevoel hebt dat de emmer bij je thuis al lang is overgelopen, en je eigenlijk 'alles' wel aan je kind zou willen veranderen, dan raden we je

Positieve aandacht, hoe pak ik dat aan?

Je moet je kind regelmatig prijzen, laten blijken dat je zijn gedrag waardeert, kortom positieve feedback geven. Het is belangrijk dat je dat duidelijk en eerlijk doet. Je kunt iets zeggen als 'Gezellig, zo samen spelen, vind je niet?' of 'Wat ben je daar voor iets moois aan het maken!'

Je blijken van waardering zouden kunnen klinken als:
- Ik vind het echt prettig als je...
- Geweldig!
- Wat ben jij flink, zeg!
- Heb jij dat helemaal alleen gedaan? Wat knap, zeg!
- Ik ben trots op je.
- Goed gedaan!
- Je bent een grote jongen/meid.
- Enzovoort.

Maar het kan ook zonder woorden:
- Schouderklopje.
- Knuffel.
- Aai over de bol.
- Kusje.
- Tevreden glimlach.
- Omarming.
- Knipoog.
- Enzovoort.

En vooral: wacht niet, maar laat meteen je waardering blijken.

Tabel 1: *Voorbeelden van verbale en sociale beloningen* aan om eerst een lijstje te maken. Noteer het storende gedrag van je kind en bepaal een volgorde van belangrijkheid. Probeer vervolgens de problemen stuk voor stuk aan te pakken, beginnend boven aan het lijstje. Met een beloningssysteem kan je kind zonnetjes, bloemen of punten verdienen wanneer het gewenst gedrag vertoont of wanneer storend gedrag niet is opgetreden gedurende een afgesproken periode. Als er voldoende punten verzameld zijn, kan het kind bijvoorbeeld iets 'kopen' uit de lijst van afgesproken beloningen. Gezinsactiviteiten zoals samen gaan zwemmen, fietsen, uit eten gaan of een bioscoopbezoek doen het meestal prima. Zorg ervoor dat het blad of de tekening waarop de punten bijgehouden worden, goed zichtbaar aanwezig is. Dat verhoogt de motivatie. Ook hier is een prettige sfeer belangrijk. Geef de punten daarom tegelijk met een sociale beloning.

Bij de wat moeilijkere opdrachten kan het gebeuren dat een sociale beloning niet genoeg motiveert. Natuurlijk mogen dan 'de grote middelen' weleens een keer worden ingezet. Een ijsje of snoepjes mogen kopen, een extra euro zakgeld of een stuk speelgoed zijn voorbeelden van materiële beloningen die het positieve gedrag van je kind kunnen stimuleren en handhaven.

▸▸ ** Geef geen dubbelzinnige complimenten*

Hannah (6) heeft eindelijk haar kamer opgeruimd. Haar moeder had de voorbije dagen al een paar keer gevraagd om nu eindelijk eens aan de slag te gaan, en was vanochtend behoorlijk ongeduldig geworden. Een uur later laat Hannah het resultaat zien: een nette kamer, en zelfs een opgemaakt bed! 'Mooi zo,' zegt haar moeder, 'je kamer ziet er netjes uit, jammer dat ik het eerst tien keer heb moeten vragen.'

Soms zwakken ouders hun positieve aandacht onbewust af door hun positieve opmerking alsnog te combineren met een vorm van kritiek. Dat is echter absoluut af te raden, want de positieve aandacht wordt zo wel erg dubbelzinnig en verliest alle effect! De mama van Hannah geeft hier een erg dubbelzinnig compliment. De positieve invloed van haar aandacht gaat erdoor verloren.

▸▸ * *Belonen is niet verwennen!*

Karel (5) en zijn ouders hebben vrienden op bezoek. Ilse, een meisje van Karels leeftijd, is ook van de partij en wil graag even spelen met Karels nieuwe autootje. Dat ziet Karel echter niet zitten, en hij begint hevig te protesteren. Zo hevig zelfs, dat zijn vader tussenbeide moet komen, waarop Karel zich razend op de grond gooit. Karels vader probeert zijn zoon met een aai over zijn bol te sussen, en zegt verontschuldigend: 'Tja, onze zoon heeft nu eenmaal een behoorlijk sterk temperament...'

Vaak denken ouders dat ze hun kind te veel kunnen belonen, en dat ze het daardoor verwennen. Niets is minder waar. Verwennen en belonen zijn immers twee verschillende zaken. Van belonen is sprake wanneer positieve aandacht of een beloning volgt op positief gedrag van het kind. Van verwennen daarentegen is sprake als het kind positieve aandacht of een beloning krijgt, los van het gedrag dat eraan voorafging. Karel krijgt veel aandacht van zijn vader, én een complimentje, terwijl zijn gedrag helemaal niet goed te keuren is. Waar beloning een positief instrument is, leidt verwenning ongetwijfeld tot problemen. De kans is klein dat Karel een volgende keer zijn speelgoed zal delen wanneer hem dat gevraagd wordt.

II. Straffen... als het niet anders kan

Ook straffen zijn hulpmiddelen bij het afleren van ongewenst of storend gedrag. Ze zijn echter nooit een doel op zich en zijn zeker niet bedoeld om ongewenst gedrag te vergelden. Straffen kunnen kinderen helpen om zich mee verantwoordelijk te voelen voor hun gedrag. Ze kunnen alleen toegepast worden nadat is afgesproken hoe het kind beloond wordt voor gewenst gedrag.

▸▸ ** Goede afspraken, goede vrienden*

De ouders van Natascha (5) hebben zich de afgelopen tijd al meer dan eens verplicht gevoeld om zonder boodschappen, maar met een rood hoofd van schaamte en een krijsende dochter aan de arm, de supermarkt te verlaten. Natascha maakt van het boodschappen doen steevast een hel. Ze eist snoep en koekjes, haalt ongevraagd spullen uit de schappen, loopt voortdurend weg om zich te verstoppen en scheurt verpakkingen open. Van de waarschuwingen van haar ouders trekt ze zich niets aan, zodat haar vader en moeder steeds nerveuzer worden, zich steeds meer schamen tegenover de andere mensen in de winkel, en uiteindelijk geen andere uitweg zien dan maar te vertrekken.

Veel ouders kunnen zonder moeite voorspellen waar en wanneer hun kind zich weer eens niet zal gedragen. Ouders doen er goed aan op mogelijk probleemgedrag te anticiperen. Zoals we al aangaven, is belonen altijd te verkiezen boven straffen. Straffen doe je alleen als het niet anders kan. Daarom is het belangrijk duidelijke afspraken te maken voor positieve bekrachtiging van gewenst gedrag. Daaraan gekoppeld kunnen ouders aangeven of afspreken welke sancties aan het ongewenste gedrag vasthangen. Het kind kan dan zelf kiezen waaraan het de voorkeur geeft.

De ouders van Natascha weten inmiddels wat ze kunnen verwachten als ze met hun dochter boodschappen willen doen, daarom moeten ze zich van tevoren voorbereiden op de probleemsituatie. Ze moeten Natascha vertellen dat ze boodschappen gaan doen, en haar ook vertellen wat Natascha mag verwachten als ze zich netjes gedraagt. Zo kan een kleurboekje of een bal een motiverende aanmoediging zijn. Tegelijkertijd kunnen ouders ook aangeven wat Natascha te wachten staat als het fout loopt. Als Natascha weer ophef maakt, dan krijgt ze geen extraatje.

In veel gevallen wordt probleemgedrag minder als je kind vooraf weet wat je van plan bent te doen als je weer eens in de probleemsituatie terechtkomt.

Een degelijke 'voorbereiding' kan verschillende stappen omvatten:

- Houd even halt voor je de mogelijke probleemsituatie ingaat (supermarkt, restaurant, ziekenhuis).
- Neem een paar dingen door die in deze omstandigheden fout kunnen lopen (bijvoorbeeld: 'Blijf bij ons, en raak niets, maar dan ook niets aan.'). Houd het hier vooral kort en duidelijk!
- Zorg voor onmiddellijke en regelmatige positieve feedback wanneer je kind zich positief gedraagt.
- Pas de afgesproken straf toe zodra je kind iets doet waarmee het de afspraken overtreedt.
- Geef je kind iets te doen. Verveling maakt dat kinderen zich sneller lastig gaan gedragen. Zorg dus dat je kind zich kan bezighouden. Neem kleurboeken en potloden mee voor als je in het restaurant moet wachten (in kindvriendelijke restaurants krijgen kinderen vaak iets van het personeel, dat is nog leuker en boeiender). Vraag je kind in de supermarkt om de boodschappenwagen te duwen, of geef het kleine opdrachtjes als 'Wil jij dat pakje koffie eens in het wagentje leggen?'. Je kunt je kind er ook opuit sturen om alvast een aantal producten uit de rekken te halen, maar dan moet je wel zeker weten dat je kind er zonder problemen bij zal kunnen.

▸▸ ** Wees consequent!*

Sien (7) is net als haar moeder gek op kleren. De laatste tijd echter heeft Sien de gewoonte om een paar keer per dag zomaar andere kleren aan te trekken. Haar kamer en haar kleerkast zijn elke keer opnieuw een puinhoop. Er liggen meer kleren op de grond dan dat er kleren in de kast hangen, tot grote woede van Siens moeder. Toch verdwijnt Sien geregeld stiekem naar boven om even later in alweer een andere outfit naar beneden te komen. Haar moeder is vaak boos, en stuurt Sien dan onmiddellijk naar boven om de kleren weer in de kast te hangen. Maar moeder reageert lang niet altijd. Soms is ze te moe en het gewoon beu om weer dezelfde opmerking te moeten maken. Vooral als er bezoek is, leeft Sien zich helemaal uit in grote verkleedpartijen. Ze weet dat mama in het bijzijn van anderen zeker niets zal zeggen, en dat ze bij het bezoek de show steelt in haar steeds wisselende outfits.

Als de moeder van Sien echt wil dat Sien zich niet voortdurend verkleedt, dan zal ze 'altijd' moeten reageren. Nu weet Sien immers dat er veel kans is dat mama toch niets zegt, en leeft ze zich thuis helemaal uit...

Als je het negatieve gedrag van je kind wilt veranderen, moet je steeds dezelfde strategie volgen, consequent zijn dus. Consequent zijn betekent dat je op verschillende punten moet letten:

- Probeer altijd consequent te zijn. Dat is vaak niet eenvoudig, want de ene dag is de andere niet. Maar wat de ene dag als ongewenst wordt bestempeld, mag de volgende dag niet oogluikend worden toegelaten. Het is voor een kind onbegrijpelijk dat het de ene keer voor het binnenshuis voetballen wordt gestraft omdat de ouder hoofdpijn heeft, terwijl dat spel een andere keer wel wordt getolereerd.
- Probeer zoveel mogelijk op dezelfde manier te reageren, zelfs als je niet thuis (bijvoorbeeld in de winkel) bent of als je bezoek ontvangt. Vaak reageren ouders anders op probleemgedrag wanneer anderen toekijken. Het kind leert echter snel in welke situatie er niet wordt gereageerd op het ongewenste gedrag en het zich dus ongestraft kan misdragen.
- Als je met zijn tweeën je kind opvoedt, moet je ook met zijn tweeën achter de (nieuwe) aanpak staan! Het is daarom belangrijk dat je samen afspreekt wat wel en niet mag en wat de daaraan gekoppelde beloningen of straffen zijn. Het komt vaak genoeg voor dat de moeder het probleemgedrag van het kind anders aanpakt dan de vader. Dat leidt niet alleen tot problemen bij het ontwikkelen van vaste afspraken en regels, maar kan ook spanningen in het huwelijk veroorzaken. Als ook grootouders bij de opvoeding betrokken zijn (via frequent babysitten bijvoorbeeld), is het van het allergrootste belang dat zij achter je aanpak staan, en je gezag niet ondermijnen! De gemaakte afspraken

tussen je kind en jou moeten ook door de grootouders gerespecteerd worden. Voorspelbare reacties zijn immers een belangrijke houvast voor kinderen.

- Geef vooral niet te snel op, maar geef je nieuwe aanpak de tijd. Als je bedenkt dat je kind er maanden, of misschien zelfs wel jaren over heeft gedaan om bepaalde gedragspatronen te ontwikkelen en te bestendigen, dan zul je begrijpen dat die patronen niet zomaar weer kunnen veranderen. Het moeilijke gedrag van je kind verander je niet eventjes op een-twee-drie.

▸▸ * *Geen woorden maar daden*

Bij kinderen die moeilijk gedrag vertonen, leveren woorden alleen niet veel op. Jonge kinderen zijn over het algemeen veel gevoeliger voor de concrete gevolgen van hun gedrag dan voor een overvloed aan woorden. Onder het motto 'een gewaarschuwd kind telt voor twee' is een goede vuistregel dat je een kind dat ongewenst gedrag vertoont, duidelijk waarschuwt en aangeeft welke sanctie je zult toepassen als het kind niet ophoudt. Kiest het kind er toch voor om verder te gaan, treed dan kordaat op.

- Gebruik dus vooral daden (beloningen, eventueel straf), en beperk je woordenstroom.
- Handel onmiddellijk en blijf je vraag niet voortdurend herhalen, want vaak escaleren de problemen door woord en wederwoord.
- Het heeft bijvoorbeeld geen zin om pakweg negen keer te dreigen, en pas de tiende keer op te treden. Je kind zal dan alleen maar leren dat het pas de tiende keer menens wordt! Tel bijvoorbeeld hardop tot drie, en treed dan effectief op. Tel nooit een tweede of derde keer tot drie!

▸▸ * *Zeg ook waaróm je iets niet goed vindt...*

De ouders van Elise (5) vinden het verschrikkelijk dat Elise bijna nooit op een rustige, normale manier met haar jongere broertje Ewout (2) speelt. Ewout is de laatste tijd erg geïnteresseerd in legpuzzels, maar krijgt zelden de kans om ze af te maken. Of Elise gooit expres alle stukken door de hele kamer heen, of ze pakt de stukjes af en legt de puzzel in een supertempo. Ook met andere spelletjes gaat het zo. Elise moet voortdurend laten merken dat zij ouder, sneller, slimmer en beter is. Dat storende gedrag leidt tot irritatie bij haar ouders, die dan boos roepen dat ze ermee moet ophouden.

Al is een overvloed aan woorden bij jonge kinderen af te raden, het is wel belangrijk dat je duidelijk aangeeft waarom je bepaald gedrag ongewenst of storend vindt. Het duidelijk aangeven van grenzen helpt het kind om normen en regels eigen te maken.

In het voorbeeld van Elise en Ewout doen de ouders er goed aan om vooral in de gaten te houden wanneer Elise wél lief met haar broertje omgaat. Op die momenten moeten ze meteen reageren met een complimentje, of Elise prijzen omdat ze rustig samenspeelt met haar broer. Als Elise weer eens een puzzel van Ewout door de kamer keilt, kunnen ze Elise erop wijzen dat noch Ewout noch zij het fijn vinden dat ze ruziemaakt. Als Elise er niet mee ophoudt, kunnen ze tussenbeide komen en haar afzonderen.

Het is belangrijk dat kritiek gericht is op het gedrag van je kind en niet op je kind zelf. Daarom is het belangrijk dat je aangeeft dat je het niet fijn vindt wat je kind dóet en niet hoe je kind ís.

▸▸ * *Blijf rustig!*

Een reëel gevaar bij straffen is dat ouders hun woede op hun kind botvieren. Veel ouders reageren net zo impulsief op het probleemgedrag van hun kind als hun kinderen impulsief reageren op allerlei prikkels. Het is belangrijk te onthouden dat je als ouder een voorbeeld bent voor je kind. Als je met deuren gaat gooien als je erg kwaad wordt, hoeft het niet te verbazen dat je kind dat vroeg of laat zal imiteren.

Soms is het erg lastig om onder ogen te blijven houden dat je kind, ook al doet het verschrikkelijk moeilijk, nog maar een kind is. Op zich is het helemaal niet vreemd dat je, kwaad, gefrustreerd of, een zeldzame keer de wanhoop nabij, de controle over jezelf dreigt te verliezen. De volgende tips kunnen je helpen:

- Probeer toch altijd te onthouden dat jij volwassen bent, en je kind niet. Je bent een soort mentor voor je kind, dus als een van beiden er het verstand bij moet houden, dan ben jij het!
- Neem niet alles te persoonlijk op, en wees vergevingsgezind! Er is niemand die punten komt uitdelen aan de 'winnaar'! Met andere woorden: sta niet toe dat je gevoel van eigenwaarde wordt beïnvloed door het al dan niet winnen van conflicten met je kind! Het aanwijzen van een schuldige leidt niet tot een oplossing van problemen.
- Als je het echt te moeilijk krijgt, ga dan even de kamer uit om je gevoelens onder controle te krijgen. En onthoud dat als het weer eens anders loopt dan je had gehoopt, dat nog niet betekent dat je een slechte ouder bent!

▸▸ * *Wat zijn 'efficiënte straffen'?*

- Time-out!

Een time-out is de beste straf voor ongewenst gedrag bij jonge kinderen. Het komt erop neer dat je je kind een tijdje apart zet van de rest van het gezelschap of de activiteit, liefst op een plek waar je het nog wel in de gaten kunt houden. Als je deze methode wilt gaan toepassen, doe je er goed aan om één vorm van ongewenst gedrag te kiezen waarbij je wilt gebruikmaken van deze methode. Ook hier geldt dat je opdrachten moet gebruiken waar je achter staat, en waarbij je van tevoren bepaalt wat je van plan bent te doen als de opdracht niet wordt uitgevoerd.

- Geef de opdracht op een vriendelijke doch neutrale toon, je hoeft niet te commanderen.
- Als je kind geen aanstalten maakt om ze op te volgen – je kunt bijvoorbeeld hardop tot vijf tellen – herhaal je de opdracht indringender en verhef je je stem een beetje: 'Als je nu niet onmiddellijk doet wat ik zeg, zet ik je apart!'

- Als je kind nog steeds geen aanstalten maakt, pak je het bij de arm en zet je het apart, terwijl je zegt: 'Je doet niet wat ik zeg, dus ik zet je nu even apart!' Je schreeuwt niet, maar spreekt wel wat luider en duidelijker, om de aandacht van je kind te krijgen, niet omdat je je emoties niet onder controle hebt! Doe je kind in geen geval pijn, maar wees wel doortastend. Je kind mag zijn time-outplek niet verlaten. Ga niet in discussie, maar loop zonder omweg naar de time-outplek.
- Vertel je kind dat het er moet blijven tot je terugkomt. Eventueel kun je zeggen dat je terugkomt als hij of zij is gekalmeerd of bereid is de opdracht uit te voeren. Ga zeker niet in discussie met je kind, en zorg ervoor dat het kind door broer(s) en/of zus(sen) met rust gelaten wordt. Ga door met waar je mee bezig was, maar houd je kind wel in de gaten.
- Laat je kind enkele minuten straftijd uitzitten, of tot het rustig is, of tot het de opdracht wil uitvoeren.
- Het is de bedoeling dat je kind de opdracht nu alsnog uitvoert! Als het ging om iets wat niet meteen rechtgezet kan worden, moet je het nu laten beloven dat het dat nooit meer zal herhalen. Als je kind op dit punt weigert, herhaalt het hele scenario zich. Als je kind de opdracht uitvoert, zeg je op neutrale toon dat je het prettig vindt als je kind doet wat je zegt.

Zeker als je de time-outmethode nog maar net toepast, is de kans reëel dat je kind uittest of het kan ontsnappen aan je verzoek. Maak daarover duidelijke afspraken:

- Als je kind een eerste keer 'ontsnapt', breng je het meteen weer terug en zeg je streng: 'Je blijft hier zitten tot ik zeg dat je mag opstaan!'
- Als je kind blijft ontsnappen, zet je het op een stoel, leg je je handen op zijn schouders en houd je het zo op de stoel. Gebruik niet te veel kracht, want het mag geen pijn doen. Maar je kind mag wel voelen dat het menens is. Een andere mogelijkheid bij wat oudere kinderen is om het kind naar zijn kamer te sturen.

Ook hier is het consequent toepassen van het afzonderen van het allergrootste belang. Het apart zetten moet telkens opnieuw worden toegepast wanneer het ongewenste gedrag zich voordoet, ook al komt het je als ouder misschien niet uit. Het systematisch toepassen van deze methode is een noodzakelijke voorwaarde voor een efficiënt resultaat. Een geschikte time-outplek is een plek waar je kind geen televisie kan kijken, geen speelgoed ziet en ook geen contact kan hebben met anderen. Kies wel een plek die je in de gaten kunt blijven houden terwijl je verdergaat met je bezigheden. Een eerste time-out is vaak een emotionele aangelegenheid. Een kind weet niet wat het overkomt als het voor het eerst apart wordt gezet, en zal misschien erg heftig reageren of huilen. Laat je dan niet verleiden om het apart zetten af te breken. Het probleemgedrag zal dan misschien wel even ophouden, maar op lange termijn zal dat het protesterende gedrag alleen maar versterken. Een troost hierbij is dat hoe heviger je kind in het begin reageert, hoe effectiever de aanpak zal zijn. Langzaam maar zeker zal je kind op je eerste opdrachten reageren, of toch in ieder geval zodra je het een waarschuwing hebt gegeven. Het voordeel van de time-out is echter dat je er als ouder in principe niet door van streek raakt. Als dat toch het geval is, ga dan eens na of je de opdrachten misschien niet te vaak herhaalt, waardoor je alle tijd hebt om zelf erg van streek te raken en boos te worden. Of vraag je ook eens af of er eventuele andere problemen meespelen in de manier waarop je met je kind omgaat. Probeer dan die andere problemen aan te pakken, want het is natuurlijk niet eerlijk dat je kind voor een deel slachtoffer is van dingen waaraan het niets kan doen. Als je de time-outmethode al een tijdje toepast om bepaald gedrag te veranderen, en je ziet het gedrag verbeteren, dan mag je de methode ook gaan toepassen op andere vormen van ongewenst gedrag. Onthoud wel dat het nooit de bedoeling is om je kind veel te straffen!

- HET GEVEN VAN BOETES

Ook het verliezen van bepaalde privileges kan een efficiënte straf zijn. Vroeger naar bed moeten (dan broer of zus) bijvoorbeeld, of geen televisie mogen kijken. Een kleine taak of het uitvoeren van bepaalde klusjes in huis of in de tuin (opruimen, vegen, afdrogen) behoren eveneens tot de mogelijkheden. Met een beloningssysteem is het mogelijk ongewenst gedrag te bestraffen. Hierbij kan met het kind afgesproken worden hoeveel punten het moet inleveren als het bepaalde taken niet uitvoert of zich niet houdt aan de afspraken.

III. Het geven van opdrachten

Omdat veel conflicten ontstaan bij het geven van opdrachten, willen we daar in een laatste luik kort op ingaan. De volgende tips kunnen het je kind eenvoudiger maken om te gehoorzamen.

▸▸ ** SPREEK JE KIND RECHTSTREEKS AAN, EN WEES DUIDELIJK EN CONCREET*

De televisie staat aan. De moeder van Joey (6) roept vanuit de keuken dat Joey zijn huiswerk moet gaan maken, zijn jas aan de kapstok moet hangen en de televisie zachter moet zetten...

De kans is groot dat Joey geen enkele opdracht tot een goed einde brengt! Als je je kind een opdracht geeft, zorg dan dat het niet wordt afgeleid door allerlei andere dingen. Je kind moet letterlijk luisteren naar wat je zegt. Zorg er daarom voor dat je de aandacht van je kind hebt. Zo kan de moeder van Joey beter naar Joey toe komen en hem vragen even te luisteren. Als ze merkt dat ze zijn aandacht heeft, kan ze een eerste opdracht formuleren. Dat maakt het voor Joey overzichtelijker en verhoogt de kans dat Joey de eerste opdracht tot een goed einde kan brengen. Dat kan een aanleiding zijn om hem positief te bekrachtigen. Daarna kan een volgende opdracht gegeven worden.

Vaak zijn ouders geneigd om een opdracht te geven en onmiddellijk verder te gaan met hun eigen activiteiten. Het is echter belangrijk om in de buurt van het kind te blijven wanneer je een opdracht geeft. Zodra het kind gehoorzaamt, kun je onmiddellijk een concreet complimentje geven. We blijven het herhalen: deze positieve aandacht verhoogt de kans dat je kind in de toekomst opnieuw gehoorzaamt wanneer je een opdracht geeft.

▸▸ * *GA UIT VAN WAT JE KIND AL KAN EN HOUD HET OVERZICHTELIJK*

Barbara (8) is altijd enthousiast om haar moeder te helpen, maar wil ook altijd meteen resultaat. Als dat niet lukt, verdwijnt haar enthousiasme als sneeuw voor de zon. Dat betekent dat Barbara aan duizend dingen begint, maar zelden iets afmaakt, tot wanhoop van haar moeder. Twee wortels schoonmaken en snijden voor in de soep, vindt Barbara bijvoorbeeld wel leuk, maar álle wortels schoonmaken en snijden, vindt ze al snel te veel van het goede. Haar moeder heeft dan ook weinig aan Barbara's hulp.

Het is belangrijk je kind opdrachten te geven die het aankan. In plaats van Barbara de opdracht te geven alle wortels schoon te maken, zou de opdracht ook kunnen luiden: 'Maak jij eens twee wortels schoon...' Meteen daarna kan een nieuwe opdracht opnieuw twee wortels betreffen. De moeder van Barbara zou haar dochter wellicht ook beter kunnen motiveren door haar voortdurend aan te moedigen. Ze zou iets kunnen zeggen als: 'Goed zo! Al twee wortels klaar! Er zijn er nog vier te gaan! Die doe jij ook nog wel, hè?' Eventueel kan ze Barbara ook belonen: 'Jij mag straks soep in de borden doen, en we vertellen papa dat jij deze soep hebt gemaakt.'

Het kan ook helpen om de taken van tevoren goed te verdelen en te bespreken: 'Jij doet de wortels, ik doe alle andere groenten.'

▸▸ ** Enkele vuistregels die de efficiëntie van opdrachten kunnen vergroten*

- Geef 'correcte' opdrachten: ze moeten dus duidelijk en haalbaar zijn voor je kind.
- Geef dus nooit een opdracht waarvan je niet zeker weet of je kind die wel kan uitvoeren.
- Vertel er ook meteen bij wat de gevolgen zijn voor gewenst of eventueel ongewenst gedrag.
- Doe niet alsof de opdracht eigenlijk een gunst is: wees zakelijk en direct in datgene wat je van je kind verlangt. Dus geen vage verzoekjes als 'Zou je misschien je speelgoed eens willen opruimen?', maar wel duidelijke instructies als 'Voor we aan tafel gaan, wil ik dat je je speelgoed flink opruimt!'
- Zorg dat je de aandacht van je kind hebt: je kind moet je aankijken als je de opdracht geeft, en zorg dat je er zeker van kunt zijn dat je kind je wel degelijk heeft begrepen.
- Geef de opdracht zonder afleidingen: zet televisie, radio of computer uit als je een opdracht geeft. Je kind zal immers niet naar je luisteren als er ondertussen veel leukere dingen in zijn buurt gebeuren.

Stel eventueel een limiet: voor kinderen die de neiging hebben opdrachten voortdurend uit te stellen, kun je er een tijdslimiet bij geven. Zeg bijvoorbeeld: 'Je hebt vijf minuten de tijd om...' of 'Laat nu maar eens zien hoe snel je dit kunt.' Als opdrachten binnen een bepaalde tijd af moeten zijn (bijvoorbeeld opruimen) of een bepaalde tijd moeten duren (bijvoorbeeld huiswerk maken), kan een keukenwekker wonderen doen.

TOT SLOT

Misschien vind je het moeilijk om dag in dag uit zo doortastend en consequent te zijn. Bedenk dan dat een kind behoefte heeft aan duidelijkheid, grenzen en regels. Duidelijkheid maakt immers dat een kind weet hoe en wat, en alleen zo kan het zich veilig voelen. Een kind dat alles mag en niets moet, voelt zich binnen de kortste keren hopeloos verloren.

Een kordate maar warme aanpak verbetert de ouder-kindrelatie, en zorgt op termijn voor meer bereidwilligheid van je kind en een groeiende, wederzijdse waardering. Het aantal dagelijkse conflicten, ruzies en woede-uitbarstingen die de onderlinge relaties nogal eens kunnen verzuren, zal bijna zeker afnemen.

Ook willen we toch nog een keer het belang van geduld onderstrepen. Wanneer je onze tips toepast en niet onmiddellijk het gewenste resultaat ziet, geef dan niet onmiddellijk op. Sommige kinderen hebben hun moeilijke gedrag jarenlang doorheen duizenden en duizenden interacties geoefend. Zoals een boom steeds dieper wortel schiet, zo is ook moeilijk gedrag na verloop van tijd steeds minder gevoelig voor ingrepen die dat gedrag willen veranderen. Het blijven hanteren van de hulpmiddelen die in dit hoofdstuk beschreven worden mét een flinke portie geduld, tijd, goede wil, liefde en enthousiasme verhoogt de kans dat het asociale gedrag van je kind in de toekomst zal evolueren in de richting van gewenst en sociaal aanvaardbaar gedrag.

EPILOOG

In dit boek had ik het uitvoerig over moeilijk gedrag, maar toch is lang niet alles daarover gezegd. Het blijft immers een complex onderwerp. Heel veel factoren kunnen in verband gebracht worden met moeilijk gedrag (zie bijv. figuur 1 blz. 64). In dit boek werden er slechts een paar uitvoerig besproken: de opvoeding en de persoonlijkheid. Hoewel die factoren het moeilijke gedrag niet volledig kunnen verklaren, spelen ze toch een zeer belangrijke rol bij de ontwikkeling van een kind. Hopelijk is na het lezen van dit boek het inzicht in de complexiteit van het menselijk gedrag gegroeid.

De opvoedingstips in het laatste hoofdstuk beklemtonen vooral het belonen van gewenst en het straffen van ongewenst gedrag. Vanzelfsprekend is opvoeden niet enkel te herleiden tot belonen en straffen. De opvoeder heeft een veel belangrijker taak: hij of zij staat in een unieke relatie met het kind en probeert door zijn voorbeeld en handelen het beste in het kind tot leven te brengen. Maar wanneer opvoeden niet langer vanzelf gaat en het moeilijke gedrag de relatie dreigt te ontwrichten, is het bijzonder nuttig over concrete handvatten te beschikken om dat gedrag een halt toe te roepen. De beschreven opvoedingstips willen juist enkele van die belangrijke handvatten aanreiken. Onderzoek heeft aangetoond dat ze de opvoedingspraktijk gunstig kunnen beïnvloeden. De voorbeelden in dit boek zijn niet méér dan voorbeelden en opvoeden is nooit te herleiden tot het blind imiteren van voorbeelden. Iedere ouder kent als ervaringsdeskundige zijn kind het beste. De tips hebben daarom de grootste kans om het opvoeden te verbeteren wanneer ze op een creatieve manier vertaald en aangepast worden aan de specifieke eigenschappen van je kind. Dat is de boeiende opdracht die in het leven van iedere dag gestalte krijgt. Geduld, heel veel geduld is hierbij een belangrijk ingrediënt.

Zoals ik in dit boek sterk heb benadrukt, kan gedrag bijgestuurd worden, althans tot op zekere hoogte. Een kind is immers geen onbeschreven blad. Daarom is voor elke ouder en opvoeder een van de belangrijkste opgaven het kind te aanvaarden zoals het is: een reëel kind en niet het kind waarvan je droomde of dat aan al je wensen voldoet.

Ik hoop dat dit boek je daarbij mag inspireren.

Op- of aanmerkingen zie ik met belangstelling tegemoet.

Peter Prinzie

BRONNEN EN AANBEVOLEN LITERATUUR

Hoofdstuk I: Moeilijk gedrag: wat is dat nu eigenlijk?

American Psychiatric Association. (2000). *Diagnostic and statistical manual of mental disorders* (4th ed. Text Revision). Washington, DC: Author.

Coie, J.D., & Dodge, K.A. (1998). Aggression and antisocial behavior. in W. Damon (Series Ed.) & N. Eisenberg (Vol. Ed.), *Handbook of child psychology: Vol. 3. Social, emotional and personality development* (5th ed., pp. 779-862). New York: Wiley.

Connor, D.F. (2002). *Aggression and Antisocial Behavior in Children and Adolescents. Research and Treatment.* New York: The Guilford Press.

Frick, P.J., Lahey, B.B., Loeber, R., Tannenbaum, L., Van Horn, Y., Christ, M.A.G. et al. (1993). Oppositional defiant disorder and conduct disorder: A meta-analytic review of factor analyses and cross-validation in a clinic sample. *Clinical Psychology Review, 13*, 319-340.

Sanders-Woudstra, J.A.R., Verhulst, R., & de Witte H. (red.) (1995). *Kinder- en jeugdpsychiatrie I: psychopathologie en behandeling.* Assen: Van Gorcum.

Tremblay, R.E. (2000). The development of aggressive behaviour during childhood: What have we learned in the past century? *International Journal of Behavioral Development, 24*, 129-141.

Verhulst, F.C., van der Ende, J., & Koot, H.M. (1996). *Handleiding voor de CBCL/4-18.* Rotterdam: Kinder- en jeugdpsychiatrie, Sophia.

Hoofdstuk II: Hoe evolueert asociaal gedrag? En zijn er verschillen tussen jongens en meisjes?

Barkley, R.A. (1998). *Opstandige kinderen. Een compleet oudertrainingsprogramma.* Lisse: Swets & Zeitlinger.

Frick, P.J., Lahey, B.B., Loeber, R., Tannenbaum, L., Van Horn, Y., Christ, M.A.G. et al. (1993). Oppositional defiant disorder and conduct disorder: A meta-analytic review of factor analyses and cross-validation in a clinic sample. *Clinical Psychology Review, 13,* 319-340.

Loeber, R., Wung, P., Keenan, K., Giroux, B., Stouthamer-Loeber, M., & Van Kammen, W.B. (1993). Developmental pathways in disruptive child behavior. *Development and Psychopathology, 5,* 103-133.

Moffitt, T.E., Caspi, A., Harrington, H., Milne, B. (2002). Males on the life-course persistent and adolescence-limited antisocial pathways: Follow-up at age 26. *Development and Psychopathology, 14,* 179-206.

Moffitt, T.E., Caspi, A., Dickson, N., Silva, P., & Stanton, W. (1996). Childhood-onset versus adolescent-onset antisocial conduct problems in males: Natural history from ages 3 to 18 years. *Development and Psychopathology, 8,* 399-424.

Prinzie, P. (2004). Externaliserend probleemgedrag en opvoeding bij kinderen van vier tot negen jaar. Cohort-sequentiële latente groeimodellen. *Kind & Adolescent, 25,* 91-112.

Prinzie, P., Onghena, P., & Hellinckx, W. (in press). The effect of parent and child personality characteristics on children's externalizing problem behavior from age 4 to 9 years: A cohort-sequential latent growth curve analysis. *Merrill-Palmer Quarterly.*

Hoofdstuk III: Hoe kinderen al dansend hun ouders strikken: het belang van opvoeding

Dishion, T.J., French, D.C., & Patterson, G.R. (1995). The development and ecology of antisocial behavior. In D. Cicchetti, & D.J. Cohen (Eds), *Developmental psychopathology. Vol. 2. Risk, disorder, and adaptation* (pp. 421-471). New York: John Wiley & Sons, Inc.

Patterson, G.R. (1982). *Coercive family process.* Eugene, OR: Castalia.

Patterson, G.R., Reid, J.B., & Dishion, T.J. (1992). *Antisocial boys.* Eugene, OR: Castalia.

Reid, J.B., Patterson, G.R., & Snyder, J. (2002). *Antisocial behavior in children and adolescents. A developmental analysis and model for intervention.* Washington, DC: American Psychological Association.

Hoofdstuk IV: Even uniek als een vingerafdruk: de persoonlijkheid

Caspi, A. (1998). Personality development across the life course. In W. Damon (Series Ed.) & N. Eisenberg (Vol. Ed.), *Handbook of child psychology: Vol. 3. Social, emotional and personality development* (5th ed., pp. 311-388). New York: Wiley.

Caspi, A., Harrington, H.L., Milne, B., Amell, J.W., Theodore, R.F., & Moffitt, T.E. (2003). Children's behavioral styles at age 3 are linked to their adult personality traits at age 26 years. *Journal of Personality, 71*, 495-513.

Caspi, A., Henry, B., McGee, R.O., Moffitt, T.E., & Silva, P.A. (1995). Temperamental origins of child and adolescent behavior problems: From age three to fifteen. *Child Development, 66*, 55-68.

De Fruyt, F., Mervielde, I., & Van Leeuwen, K. (2002). The consistency of personality type classification across samples and five-factor measures. *European Journal of Personality, 16*, S57-S72.

Gosling, S.D. (2001). *From mice to men: What can we learn about personality from animal research? Psychological Bulletin, 127*, 45-86.

Guerin, D.W., Gottfried, A.W., & Thomas, C.W. (1997). Difficult temperament and behaviour problems: A longitudinal study from 1.5 to 12 years. *International Journal of Behavioral Development, 21*, 71-90.

Mervielde, I., & De Fruyt, F. (1999). Construction of the Hierarchical Personality Inventory for Children (H*i*PIC). In I. Mervielde, I.J. Deary, F. de Fruyt, & F. Ostendorf (Eds.), *Personality psychology in Europe.* Vol. 7 (pp. 107-127). Tilburg: Tilburg University Press.

Prinzie, P., Onghena, P., Hellinckx, W., Grietens, H., Ghesquiere, P. & Colpin, H. (2004). Parent and child personality characteristics as predictors of negative discipline and externalizing problem behaviour in children. *European Journal of Personality, 18*, 73-102.

Rothbart, M.K., & Bates, J.E. (1998). Temperament. In W. Damon & N. Eisenberg (Eds.), *Social, emotional and personality development, Vol. 3* (pp. 105-176). New York: Wiley.

Thomas, A., & Chess, S. (1977). *Temperament and development.* New York: Brunner/Mazel.

Thomas, A., Chess, S., Birch, H.G., Hertzig, M.E., & Korn, S. (1963). *Behavioral individuality in early childhood.* New York: University Press.

Hoofdstuk V: Efficiënt opvoeden, een kwestie van vraag en aanbod

Prinzie, P., Onghena, P., Hellinckx, W., Grietens, H., Ghesquière, P., & Colpin, H. (2003). The additive and interactive effects of parenting and children's personality on externalizing behaviour. *European Journal of Personality, 17,* 95-117.

Rutter, M.L. (1997). Nature-Nurture Integration: The example of antisocial behavior. *American psychologist,* 52, 390-398.

Rutter, M. (2002). Nature, nurture and development: From evangelism through science toward police and practice. *Child Development, 73,* 1-21.

Shiner, R.L., & Caspi, A. (2003). Personality differences in childhood and adolescence: Measurement, development, and consequences. *Journal of Child Psychology and Psychiatry and Allied Disciplines, 44,* 2-32.

Hoofdstuk VI: Efficiënt belonen en straffen: hulpmiddelen op weg naar gewenst gedrag

Barkley, R.A. (1998). *Opstandige kinderen. Een compleet oudertrainingsprogramma.* Lisse: Swets & Zeitlinger.

Behan, J. & Carr, A. (2000). Oppositional defiant disorder. In A. Carr (Ed.). *What works with children and adolescents? A critical review of psychological interventions with children, adolescents and their families* (pp. 102-130). London: Routledge.

Cavell, T.A. (2000). *Working with parents of aggressive children: A practitioner's guide.* Washington, D.C.: American Psychological Association.

Connor, D.F. (2002). *Aggression and Antisocial Behavior in Children and Adolescents. Research and Treatment.* New York: The Guilford Press.